DEMCO

TWEEN IR [SPANISH]

La leyenda
de Sleepy Hollow
Rip Van Winkle

Aula de Literatura

DIRECTOR

Francisco Antón

ASESORES

Manuel Otero

Agustín S. Aguilar

La leyenda
de Sleepy Hollow
Rip Van Winkle

Washington Irving

Edición, introducción,
notas y actividades
Manuel Broncano

Traducción
Manuel Broncano
Julio-César Santoyo

Ilustración
Gary Kelley

Aula de Literatura **V** Vicens Vives

Primera edición, 2009

Depósito Legal: B. 51.373-LI
ISBN: 978-84-316-0988-7
Núm. de Orden V.V.: AV29

Títulos originales:
The Legend of Sleepy Hollow, 1819
Rip Van Winkle, 1819

© MANUEL BRONCANO
Sobre la introducción, notas y actividades.
Sobre la traducción de «La leyenda de Sleepy Hollow».

© JULIO CÉSAR SANTOYO
Sobre la traducción de «Rip Van Winkle».

© GARY KELLEY
Sobre las ilustraciones al texto literario.

© THE CREATIVE COMPANY
Sobre las ilustraciones al texto literario.

© EDICIONES VICENS VIVES, S.A.
Sobre la presente edición según el art. 8 del Real Decreto Legislativo 1/1996.

Obra protegida por el RDL 1/1996, de 12 de abril, por el que se aprueba el Texto Refundido de la Ley de Propiedad Intelectual. Los infractores de los derechos reconocidos a favor del titular o beneficiarios del © podrán ser demandados de acuerdo con los artículos 138 a 141 de dicha Ley y podrán ser sancionados con las penas señaladas en los artículos 270, 271 y 272 del Código Penal. Prohibida la reproducción total o parcial por cualquier medio, incluidos los sistemas electrónicos de almacenaje, de reproducción, así como el tratamiento informático. Reservado a favor del Editor el derecho de préstamo público, alquiler o cualquier otra forma de cesión de uso de este ejemplar.

IMPRESO EN ESPAÑA
PRINTED IN SPAIN

Editorial VICENS VIVES. Avda. de Sarriá, 130. E-08017 Barcelona.
Impreso por Gráficas INSTAR, S.A.

ÍNDICE

Introducción

La leyenda de Sleepy Hollow

Rip Van Winkle

Actividades

Washington Irving (1783-1859)

INTRODUCCIÓN

Para Lucía
y Manuel

El fundador de la literatura norteamericana

Washington Irving fue el primer escritor profesional de los Estados Unidos y labró el camino, difícil y lento, de la literatura en la nueva nación. Fue un pionero, no de los bosques, como muchos de sus coetáneos, sino del espíritu y el arte, algo para lo que sus conciudadanos carecían de tiempo y de interés, ocupados como estaban en levantar toda una civilización desde sus cimientos en los territorios del Nuevo Mundo. Eran tiempos difíciles pero prometedores. Las antiguas colonias británicas se enfrentaban al reto de forjar un sistema social nuevo y bullían en una actividad frenética, estableciendo ciudades, trazando carreteras y canales, fundando compañías comerciales, colonizando territorios cada vez más vastos a expensas casi siempre de los pueblos nativos. Y también, promoviendo leyes y articulando un sistema político asentado en los principios básicos de la democracia y el capitalismo, que desembocaría en la Constitución (1787), donde se consagran la libertad y la igualdad como valores irrenunciables de la nación. Washington Irving nació en 1783, año en que los Estados Unidos alcanzan su independencia de la corona británica, y recibió su nombre como homenaje a George Washington, uno de los «padres fundadores» y primer presidente de la nación. La vida de Irving se desarrolla, por tanto, pareja a la del joven país, y al igual que Washington firma la Declaración de la Independencia, puede decirse que Irving firma la declaración de otra independencia, literaria y estética, que permitirá a la literatura norteamericana alcanzar muy pronto una identidad propia y distinta de la escrita en el Viejo Mundo.

Infancia neoyorkina

Washington Irving fue el benjamín de ocho hermanos. Su padre, William Irving, era un próspero comerciante escocés que hasta su matrimonio con Sarah Sanders había sido oficial de la marina inglesa. Hombre de estricta formación presbiteriana, el padre del escritor mantenía una atmósfera de severidad religiosa en el hogar que, sin embargo, poco pareció influir en el niño. A pesar de la oposición paterna, muy pronto el joven Irving desarrolló una marcada afición por la música y el teatro, al que a menudo acudía en secreto. Durante toda su infancia, el escritor mostró una disposición enfermiza, con frecuentes achaques bronquiales. Por ello, su educación fue irregular y dejó la escuela a los dieciséis años. A partir de entonces se convirtió en lector voraz de todo aquello que tratara de viajes y aventuras, a la par que en explorador impenitente de las calles de Nueva York, que conocía como la palma de su mano. Comenzó también a estudiar leyes y, con el tiempo, llegaría a ser abogado. El asma recurrente que padecía le llevaba a buscar el aire limpio de las zonas rurales, sobre todo el entorno del río Hudson, donde transcurren los relatos que aquí presentamos. Fueron estos lugares la verdadera escuela donde se forjó el escritor, cuyas primeras obras tratan con tono satírico y jovial de la vida y costumbres de Nueva York, donde muy pronto alcanzaría el reconocimiento público.

Los heterónimos de Irving

Sus primeros escritos literarios, una serie de cartas que publica en el *Morning Chronicle* con el seudónimo de Jonathan Oldstyle, nos revelan ya algunas de las características del mejor Irving: su maestría en el retrato y la caricatura (rasgos indudables del genio literario), su tendencia a la nostalgia, su habilidad pictórica con el lenguaje, pero, sobre todo, su pulcritud estilística y su continuo despliegue de una brillante ironía, que a menudo se convierte en sátira. Con estas cartas, Irving se erige en cronista de la realidad social de los Estados Unidos y sus opiniones adquieren gran transcendencia entre un amplio público lector.

A la izquierda, «Washington e Irving» (1854), acuarela de G. B. Butler que recrea el momento en que la niñera de los Irving presenta al pequeño Washington al presidente de la nación. A la derecha, retrato del escritor cuando tenía unos veinticinco años.

Jonathan Oldstyle es el primero de los muchos seudónimos que el escritor adopta a la largo de su vida, en un juego de identidades muy revelador del concepto de autoría y originalidad que Irving tenía. Diedrich Knickerbocker, Geoffrey Crayon, Fray Antonio Agapida, son algunos de los heterónimos con que Irving oculta su identidad. Con esa estrategia establece un distanciamiento entre sí mismo, hombre respetable de la sociedad de su tiempo, y su producción literaria. Y es que cualquier tipo de actividad artística despertaba los recelos de una sociedad cuya herencia puritana seguía aún muy viva. La profesión de escritor, como la de actor o artista, resultaba, a los ojos de muchos, impropia de los ciudadanos comprometidos con los tiempos, cuando no abiertamente inmoral. Pero el juego de identidades al que se entrega Irving nos revela, sobre todo, su concepción lúdica y festiva de la literatura.

Los años de juventud del escritor estuvieron marcados por la muerte prematura en 1809 de Matilda Hoffman, la joven de diecisiete años que iba a convertirse en su esposa. Algunos biógrafos de Irving interpretan su soltería como una especie de homenaje al recuerdo de la joven Matilda. De hecho, su vida sentimental posterior es prácticamente inexistente, salvo episodios como el de su supuesto amor por Mary Shelley, autora de *Frankenstein*, que en seguida se frustró por causas insuficientemente aclaradas. En todo caso, perder a su prometida supuso para Irving el comienzo de un largo paréntesis en su labor creativa, que no se cerró hasta la publicación de *El libro de bocetos de Geoffrey Crayon* (1819-1820), hoy considerada su obra maestra y de la que proceden los dos cuentos de esta selección.

Travesía al Viejo Mundo

Washington Irving viajó con frecuencia a Europa por motivos diversos. Aunque decididamente americano por mentalidad y costumbres, Irving encontraría en el Viejo Mundo una fuente inagotable de inspiración y de goce estético. Su primer viaje, motivado por su deteriorada salud, le lleva en 1804 a conocer París y luego Londres, ciudades que dejaron una huella imborrable en el joven escritor. Durante el año y medio que pasa en suelo europeo, Irving visita también Suiza, Bélgica y Holanda, además de Italia, donde vive la experiencia (impagable para un espíritu como el suyo) de verse abordado por un barco pirata cuando navega rumbo a Sicilia. Cordial y de conversación amena, el escritor pronto entabla amistad con intelectuales y artistas, y llega incluso a contemplar la posibilidad de convertirse él mismo en pintor. También su afición por el teatro encuentra en los escenarios europeos cumplida satisfacción. Irving regresa a América de este primer viaje cargado de experiencias y con la salud restablecida.

Su segundo viaje, planeado para unos meses, se alarga sin embargo diecisiete años, durante los que alcanza su madurez plena como escritor. Cuando en 1815 se ratifica el tratado de paz que pone fin al conflicto bélico que había enfrentado a los EEUU con Gran Bretaña desde 1812, Irving decide visitar a su hermano Peter, representante de la empresa de su familia P.&E. Irving en

Muchas obras de Irving constituyen un complejo entramado de autores interpuestos. En esta ilustración de Arthur Rackham, Rip Van Winkle le relata su historia a un atento Diedrich Knickerbocker, quien va tomando notas para su relato.

Liverpool. Su reputación ha crecido notablemente en EEUU, sobre todo tras dar a la imprenta, junto a su amigo Paulding y su hermano William, el irreverente *Salmagundi* (1807), una publicación periódica aunque de aparición irregular cuyo propósito era «simplemente instruir a los jóvenes, reformar a los viejos, corregir la ciudad y reprobar los tiempos». Aún mayor fue la fama que le reportó la publicación de la *Historia de Nueva York* (1809), obra en la que Irving hace alarde de su mejor talento humorístico.

Su llegada a Inglaterra coincide, sin embargo, con la crisis de la empresa, que al cabo conduce a la bancarrota. El desastre financiero y la muerte de su madre en 1817 le llevan a buscar refugio en la escritura «para sobreponerme», según confiesa, «a la degradación en que consideraba haber caído». En esta época visita a Walter Scott, influencia decisiva en la carrera del escritor norteamericano, y conoce a destacados poetas y artistas. A pesar de las adversidades —o quizá debido a ellas—, en esos meses de inestabilidad anímica Irving consigue alumbrar lo mejor de su obra, en la que se incluyen los dos relatos de este libro.

Madrid y Granada

En 1826 Irving obtiene un nombramiento en la embajada estadounidense en Madrid como traductor de la monumental obra de Martín Fernández de Navarrete sobre los viajes colombinos. Es el comienzo de una relación con España que marcará el resto de su vida. Pero en vez de rematar la traducción de Navarrete, que acaba descartando por demasiado erudita, Irving concibe su *Vida y viajes de Colón*, que publica en 1828, obra donde demuestra su admiración por los episodios fundacionales del Nuevo Mundo, al igual que en su libro posterior *Viajes y descubrimientos de los acompañantes de Colón* (1831). Poco antes, en 1829, aparece *Crónica de la conquista de Granada*, que en seguida fue traducida al francés y al alemán. Pero el homenaje supremo del escritor norteamericano a la cultura española es sin duda su libro *Cuentos de la Alhambra* (1832). En esta colección de relatos y leyendas sobre Granada y la Alhambra, producto de su estancia como residente en el famoso palacio nazarí (de él dijo el autor: «me parece completamente un sueño, o como si estuviera hechizado en algún palacio de hadas»), Irving proyecta su visión romántica de la historia de España en unas páginas rebosantes de sensualidad y misterio.

Retorno a América

La publicación de los *Cuentos de la Alhambra* coincide con el regreso del escritor a los Estados Unidos, tras una larga ausencia que muchos pensaban definitiva. Irving vuelve como escritor consagrado, y a su llegada a Nueva York recibe una calurosa bienvenida, que se repite después en Washington, donde el propio presidente Andrew Jackson lo invita a su mesa. Ese mismo

Irving mandó construir su residencia definitiva («Sunnyside») a las afueras de Tarrytown, por lo que esta pequeña población de Nueva York quedaría vinculada para siempre con la obra y la figura del escritor. Acuarela de «Sunnyside» del siglo XIX.

año tiene ocasión de repetir sus viajes de juventud a los territorios de frontera, donde experimenta la dureza de la vida del colono, sobrevive a naufragios y accidentes, caza búfalos y conoce de cerca los pueblos indígenas. Su *Viaje por las praderas* (1835) describe la vida del pionero a la luz de esas experiencias. A partir de entonces Irving se establece en «Sunnyside», la granja que adquirió a orillas del río Hudson, en la comarca de Tarrytown, donde permanecerá hasta el final de sus días, salvo contados viajes y una nueva estancia de cuatro años en Madrid, en esta ocasión en calidad de embajador.

La vida del escritor parece marcada por la del ilustre político del que recibe su nombre. De hecho, su monumental *Vida de Washington* en cinco volúmenes, el último gran proyecto literario en el que trabaja, parece mantenerle vivo sus años finales. Con motivo de la publicación de los dos primeros tomos en 1855, Irving afirmaba: «si puedo vivir para terminarlo, moriré dichoso al momento siguiente», y como si de una premonición se tratara, en noviembre de 1859, pocos meses después de la aparición del

último volumen, el escritor fallecía en su pequeña mansión de
«Sunnyside». Sus restos reposan en un promontorio asomado al
valle de Sleepy Hollow, que para siempre permanecerá asociado
a su nombre.

«El libro de bocetos de Geoffrey Crayon»

Los dos cuentos de este volumen fueron publicados por primera
vez en una colección de textos misceláneos que incluía relatos,
bocetos (breves cuadros costumbristas) y ensayos, la mayoría de
ambiente o tema europeo. Esta colección, titulada *El libro de bocetos de Geoffrey Crayon*, se publicó por entregas en Estados Unidos entre junio de 1819 y septiembre de 1820. Inmediatamente se
convirtió en un éxito de ventas que le granjeó a su autor un reconocimiento internacional como ningún escritor norteamericano había alcanzado hasta entonces. El Nuevo Mundo y la vieja
Europa coincidían por primera vez en apreciar la maestría de un
escritor procedente de las antiguas colonias británicas. En esta
miscelánea Irving adopta la persona de Geoffrey Crayon, autor
de todos los textos salvo dos, que son precisamente «Rip Van
Winkle» y «La leyenda de Sleepy Hollow». La autoría de estos
dos cuentos se atribuye a un tercer escritor, Diedrich Knickerbocker, supuesto historiador y anticuario cuyos estudios sobre
las familias holandesas del estado de Nueva York sirven de fuente
para los dos relatos. Diedrich Knickerbocker había sido ya el ficticio autor de la *Historia de Nueva York* (1809), una reconstruc-
ción paródica de la antigua colonia de Nueva Amsterdam «desde
los orígenes del mundo hasta el fin de la dinastía holandesa»,
que le reportó a Irving gran notoriedad. Este autor interpuesto
es un anciano excéntrico y un tanto demente que recrea la historia de Nueva York a través de un sinfín de anécdotas de talante
cómico, y a veces casi obsceno, que revelan sin embargo un profundo conocimiento de la colonia holandesa.

Al utilizar a Knickerbocker como supuesto autor de los cuentos, se produce, por tanto, un juego de voces narrativas y firmas
autoriales que no debe pasarnos desapercibido, ya que constituye

En las proximidades de Tarrytown, la aldea donde transcurre «La leyenda de Sleepy Hollow», todavía subsiste este antiguo molino construido por los colonos holandeses y del que Washington Irving nos habla en su famoso relato.

un elemento central de ambos textos. La autoría de tales relatos se atribuye, por tanto, a un escritor cuya solvencia está libre de toda duda, ya que su oficio es el de «historiador» y no el de «poeta», según la dicotomía aristotélica. De nuevo cabe recordar que, mientras la severidad puritana no admitía divagaciones de la imaginación, en ninguna de sus formas, sí se mostraba partidaria de cualquier forma de discurso histórico, basado en el rigor de los hechos y no en las veleidades de la mente. El efecto que Irving consigue con ello es doble: por una parte, reivindica el fundamento histórico de los hechos narrados (aunque estos no dejen de tener un tinte fantástico) y, por tanto, su legitimidad (o «moralidad»); por otra, parodia esa misma mentalidad que presupone que todo discurso histórico es legítimo, por objetivo y veraz, con lo que cuestiona la esencia misma de la historia.

A ese juego narrativo debemos añadir una cuarta voz, ya que el historiador Knickerbocker ha recogido los relatos de una fuente oral: el propio Rip Van Winkle, narrador de su peripecia al regreso a su pueblo, y, en el caso de «La leyenda de Sleepy Hollow», el anciano que relata la historia de Ichabod Crane en el ayuntamiento de Manhattan. Se trata pues, de un juego polifónico que diluye la autoría última del texto y convierte a todas las voces en copartícipes del proceso creativo. Las implicaciones son múltiples: por una parte, se concibe la literatura como una creación colectiva, no individual; por otra, el texto literario se convierte en ejercicio continuo de reescritura: Knickerbocker reescribe el relato de Rip, y Geoffrey Crayon, a quien al fin y al cabo se atribuye la autoría del libro, probablemente no se resiste a intervenir en su redacción. Para rizar aún más el rizo, en ese juego polifónico deberíamos también incluir a Seth Handaside, el propietario del hotel donde Knickerbocker residió sus últimos años y donde abandonó sus escritos, de los que Handaside se adueña como pago de la cuenta nunca saldada por el anciano. Nadie nos asegura que Handaside no manipulara esos textos, como también lo pudo hacer el anónimo maestro a quien Handaside encarga la edición del manuscrito de *Historia de Nueva York*, y de quien podemos sospechar asimismo que ha intervenido en la revisión y edición de estos dos relatos que se encuentran entre los papeles del anciano historiador. El concepto de autor como «autoridad» última del mundo de ficción, en suma, se pone en entredicho, ya que resulta imposible deslindar qué le pertenece a quién en este laberinto de voces y ecos.

La leyenda de Sleepy Hollow

Si en «Rip Van Winkle» Irving adapta una leyenda europea, en «La leyenda de Sleepy Hollow» convierte la **tradición cómica** y los **relatos folclóricos** de su estado natal, Nueva York, en material literario. Ichabod Crane y Brom Bones, los dos protagonistas del relato, parecen estar **inspirados en personajes locales** que Irving conoció de niño. Brom sería un paleto de Tarrytown que «alardeaba de haberse encontrado una vez con el diablo… y de haberle echado una carrera por un tazón de leche». Ichabod sería el

maestro y sabio del pueblo, Jesse Merwin. Por medio de ambos,
Irving dramatiza el enfrentamiento entre dos personajes regio-
nales, el yanqui, sofisticado y urbano, frente al pueblerino: dos
personajes que gozan de larga tradición en la cultura estadounidense.[1] En este cuento, además, se encuentran abundantes ecos
de otros textos, y en especial del *Quijote*, cuyo protagonista ins-
pira el retrato del esperpéntico maestro de escuela que ve en la
hermosa Katrina la dama de sus sueños.

El **motivo del sueño** impregna por completo el texto, tal y como indica el propio título («Sleepy Hollow», esto es, 'valle dormido'). La acción del relato transcurre en un espacio de **connotaciones mágicas** y en un tiempo de ecos legendarios, un mundo
a medio camino entre la realidad y el ensueño. «La leyenda de
Sleepy Hollow» es el retrato de un maestro de escuela que aspira
a superar su modesto destino, pero es también la pintura de una
sociedad que se resiste al rápido avance del progreso. La pequeña
comunidad que habita el valle, y el valle mismo, constituyen, como afirma el narrador, una especie de remanso en el frenético
bullir de los Estados Unidos, un refugio de tradiciones y creencias que se ven amenazadas por los nuevos tiempos.

Leyenda y sátira

Washington Irving nos presenta la historia de Ichabod Crane como una leyenda, y conviene observar las implicaciones que ello
conlleva. Del latín *legenda*, el término *leyenda* tiene dos acepcio-
nes fundamentales. Por una parte, se refiere a relatos de **naturaleza oral** que nos hablan de sucesos y personajes a medio camino
entre la **realidad** y la **fantasía**; por otra, se refiere a aquel texto
destinado para ser leído, aquello que está escrito, a menudo con
fines didácticos o moralizantes. En la leyenda, por tanto, conflu-
yen la tradición oral y la literatura escrita. Sutilmente, Irving nos

---

1 El episodio del encuentro de Ichabod con el Jinete sin Cabeza procede de la
tradición folclórica europea. Irving se inspiró en la quinta «Leyenda de Rübez-
hal», recogida por J. A. Musaeus en su *Volksmarchen der Deutschen* (1805).

señala así cómo surge el propio texto y, por extensión, la aún incipiente tradición literaria de los Estados Unidos. Hemos aludido antes a que este cuento está inspirado en el folclore local, y, de hecho, su procedencia oral se hace explícita en el texto, ya que la historia de Ichabod Crane es referida a la audiencia del ayuntamiento de Manhattan por un anciano anónimo (de quien Knickerbocker toma la historia), quien a su vez la ha escuchado del granjero de Sleepy Hollow que visita Nueva York años después de la desaparición de Ichabod: se trata, por tanto, de un cuento que, como las leyendas, ha ido pasando de boca en boca hasta alcanzar la forma definitiva que Irving fija en su relato.

El **propósito didáctico** subyacente en algunas leyendas es, sin embargo, **objeto de parodia** en el epílogo de «Sleepy Hollow». En efecto, una vez concluido su relato oral, y a petición de un anciano «cejijunto y seco», el narrador expone la 'moraleja' de su historia con un absurdo silogismo: su intención, en realidad, no es otra que poner en tela de juicio la necesidad de que un relato deba enseñar lección alguna y mofarse de quienes, como el anciano que le interroga y los puritanos de la época, exigen a la literatura una finalidad didáctica. De igual modo, el narrador ironiza cuando se cuestiona la **veracidad** de su relato, pese a haber insistido en ella a lo largo de la narración; y no le faltan motivos para la burla, pues el incrédulo interlocutor que califica de «disparatado» el relato ignora la distinción que Aristóteles establece entre la «verdad» de la Historia y la «verdad» de la literatura, y, lo que es peor, con su actitud demuestra haber dado crédito a la versión que las comadres de la aldea ofrecen sobre la desaparición del maestro y, por tanto, haber sido incapaz de interpretar las risotadas en que estalla Brom Bones cuando alguien menciona la calabaza hallada en el camino. El anciano es, pues, un ingenuo lector.

Le leyenda permite, por tanto, un distanciamiento prudente con el mundo que recrea (remoto en el espacio y en el tiempo), pues la convención impone una «suspensión de la incredulidad», que lleva al lector a aceptar como ciertos acontecimientos a veces poco creíbles, como el episodio del Cid y el león en el poema épico español, o las apariciones espectrales del Jinete sin Cabeza

*La antigua iglesia holandesa de Tarrytown, con el cementerio adyacente, escenario de
los galanteos del inefable maestro Ichabod Crane con las damiselas del pueblo.*

en las soledades de Sleepy Hollow. En el caso de «La leyenda de
Sleepy Hollow», sin embargo, este carácter legendario es la piedra angular sobre la que Irving construye su sátira, en lo que representa una subversión de la leyenda como género literario. A
partir de un esquema muy arraigado en la tradición folclórica,
como es el del «engañador engañado» o «cazador cazado», y un
emplazamiento de dudosa realidad, como es el bucólico valle
donde transcurren los hechos, se elabora un retrato satírico (aunque amable) de la Norteamérica coetánea del autor. Un país recién nacido que carece de pasado y, por tanto, de tradiciones y
mitos. Las leyendas, así, tienen que ser tan jóvenes como el propio país. Al inicio del cuento se nos dice que todo ocurrió en un
«tiempo remoto de la historia norteamericana, es decir, hace
unos treinta años» y en un lugar apartado, pero que todavía existe: «El lugar sin duda sigue bajo el influjo de algún poder mágico
que tiene hechizadas a las buenas gentes». El **distanciamiento
temporal** y **espacial** es así tan **sólo aparente**, en lo que constituye
la primera subversión del esquema tradicional de la leyenda. En
cuanto al **héroe legendario** propio del género, «Sleepy Hollow»

lo transforma en un esperpento, pues tal podemos considerar al humilde maestro cuya **figura caricaturesca** recuerda a un «espantapájaros, o al genio del hambre descendiendo sobre la tierra». Este giro hacia lo grotesco constituye la segunda subversión de las convenciones de la leyenda, que se adentra, con ello, en el territorio de la sátira. Y este proceso bien lo podemos calificar como de nacimiento de un género nuevo.

Influencia cervantina

Ichabod Crane es un personaje **quijotesco**, poseído de la misma pasión por lo fantástico que causaba los delirios del caballero manchego. Alonso Quijano ocupa el tedio de los días con novelas de caballeros andantes y aventuras imposibles, que poco a poco le trastornan el juicio; Ichabod es lector impenitente de relatos de brujería y apariciones, hasta que su mundo se puebla de espectros. Como don Quijote, Ichabod es larguirucho y famélico, y su **rocín**, Pólvora, no le anda a la zaga a Rocinante en cualidades:

El animal que le servía de montura era un percherón de desecho que había sobrevivido a casi todo, excepto a sus propios resabios: flaco y desmelenado, cuellicorto y con testera de martillo; la cola y las crines tenía del color del almagre, todas enredadas en espesas marañas; un ojo había perdido la pupila y miraba extraviado y espectral, pero el otro mostraba el brillo de un genuino diablo.

Ichabod, sin embargo, es también un poco **Sancho Panza**. Como el fiel escudero, el maestro encuentra en la comida la mayor fuente de felicidad: «Era criatura amable y agradecida, cuyo corazón se dilataba a medida que su pellejo se llenaba de buenas viandas, y cuyo ánimo se elevaba con la comida igual que el de otros hombres con la bebida». Al igual que Sancho, Ichabod ambiciona su particular ínsula Barataria y se imagina a sí mismo dueño absoluto de la sin par Katrina y su dote. Como Sancho Panza (y como don Quijote), Ichabod Crane ve rotos sus sueños de la manera más cruda, siendo objeto de burla y ridículo. En el maestro de escuela encontramos, así, una fusión pintoresca de

En esta ilustración de W. J. Wilgus (1856), el Jinete sin Cabeza arroja inmisericorde la
calabaza a Ichabod Crane, que huye despavorido a lomos de su jamelgo Pólvora.

Sancho y don Quijote: como el escudero, Ichabod es presa de las
pasiones mundanas; como el caballero, vive en un mundo imagi-
nario en franca contradicción con la realidad que le rodea. De
esa paradójica dualidad emana la comicidad del personaje, pero
también su grandeza, pues se revela como un simple ser humano
enfrentado al fracaso estrepitoso de su sueño de riqueza y felicidad. En el mundo recóndito de Sleepy Hollow todavía parece haber lugar para los **caballeros andantes**, a los que a menudo se
alude a lo largo del relato. Así, el enfrentamiento por la bella Katrina entre Ichabod y Brom Bones se articula en términos caba-
llerescos; de Brom se nos dice que «algo tenía de caballero andante», y que le habría gustado dirimir sus pretensiones hacia la
dama «al estilo de los muy sencillos y razonables caballeros de
antaño: en un combate singular». Al final, este combate en campo abierto tiene lugar, en lo que constituye el episodio central
del cuento, aunque Ichabod nunca llegue a sospechar la verdadera identidad de su contrincante y se crea víctima de un espectro

vengativo. Irving demuestra así la profunda influencia de la novela cervantina y nos revela otra de las fuentes de las que se nutre la joven literatura norteamericana.

Nacimiento de una región mítica

Parece natural que un texto que dramatiza el conflicto entre imaginación y realidad encuentre en el *Quijote* su modelo inevitable. Al igual que en la obra de Cervantes hay un protagonista agazapado que es la Mancha, una región real que se convierte en representación arquetípica de la sociedad humana, en «La leyenda de Sleepy Hollow» la **comarca de Tarrytown** trasciende su función de mero marco costumbrista para convertirse en un **microcosmos mítico y atemporal**. En este sentido, Irving es un ilustre antecesor de escritores americanos como William Faulkner, inventor del condado de Yoknapatawpha, o Gabriel García Márquez, descubridor de Macondo, ese pueblo perdido que existe al margen del tiempo en la inolvidable novela *Cien años de soledad*; regiones, como el Nueva York rural de Irving, que ya forman parte indiscutible de la geografía literaria de nuestro mundo. Sleepy Hollow es un espacio autosuficiente y cerrado cuya existencia está determinada por el ritmo de la naturaleza; un mundo en abierto contraste con la América urbana a la que regresa Ichabod tras la ruptura de sus sueños. De esa polaridad básica surge la tensión del cuento, que se sitúa en **dos espacios antagónicos** y, en apariencia, excluyentes. Ichabod se configura como un intruso que busca apropiarse de lo mejor de Sleepy Hollow, un forastero de la ciudad que se considera superior a los paletos del pueblo. Ichabod procede de Connecticut, un estado que abastece a la Unión con «pioneros, no sólo de los bosques, sino también del espíritu», y es digno descendiente de esos **colonos puritanos** que poblaron Nueva Inglaterra: como ellos, vive sometido al temor constante de demonios y fantasmas. Su lectura preferida, de hecho, es la obra de Cotton Mather, el más influyente de los teólogos puritanos, cuyos sermones instigaron la tristemente famosa «caza de brujas» de Salem en 1692, un episodio que llevó a la ho-

Fotograma de «Sleepy Hollow» (1999), una espléndida adaptación cinematográfica del cuento de Irving, dirigida por Tim Burton y protagonizada por J. Depp y C. Ricci.

guera a un grupo de colonos, acusados de brujería. Con el retrato caricaturesco de Ichabod Crane, Irving parodia esa herencia puritana que ha sido (y, seguramente, todavía es) determinante en la cultura de los Estados Unidos.

Granjeros y pioneros

Ichabod personifica también el **espíritu del pionero**, figura fundamental en la historia norteamericana: un hombre sin raíces, de vida errante, siempre en busca de un lugar mejor donde comenzar de nuevo. Así, por ejemplo, su intención no es asentarse con la bella Katrina en la hacienda de Van Tassel cuando consiga su mano, sino vender todas las propiedades de la heredera e invertir el dinero en «extensiones inmensas de tierra virgen», en los territorios que son aún frontera. Ichabod representa, pues, la América **nómada**, frente al carácter sedentario de los habitantes de Sleepy Hollow, comunidad que, como los mismos árboles, «vegeta» en el valle. Su oficio de maestro, además, le lleva a vivir en continuo tránsito de pueblo en pueblo, e incluso en Sleepy

Hollow carece de domicilio regular: cada semana se traslada de una granja a otra con sus escasas pertenencias envueltas en un simple hatillo, siempre bajo la mirada recelosa de los granjeros, para quienes los maestros son «meros zánganos» y la educación de sus hijos una «severa carga». Ichabod encarna, así, al **intelectual** dispensador de cultura en un mundo donde el saber es objeto de sospecha. Para algunos críticos, Ichabod Crane es una **metáfora del escritor** que a duras penas puede sobrevivir en una sociedad hostil a su arte. Para otros, Crane representa el tipo de literatura (sensacionalista y adicta a lo misterioso y sobrenatural, como el propio personaje) que dominaba el panorama literario en los tiempos de Irving. El cuento sería, así, una parodia satírica de ciertos géneros literarios, y en especial de la novela gótica, entonces tan de moda. Desde esta perspectiva, «La leyenda de Sleepy Hollow» se convierte en una meditación sobre el lugar que ocupa el escritor en la sociedad y en una reivindicación de una nueva literatura, fresca y original, para una nueva nación.

Ichabod Crane encuentra su **contrapunto** en **Brom Bones**, el formidable rival con quien tiene que habérselas en el duelo por Katrina. Frente al larguirucho y desgarbado Crane (cuyo apellido lo identifica con una grulla), Bones es fornido y apuesto (su apodo alude a su constitución hercúlea); Ichabod es exquisito y refinado en sus relaciones sociales, y siempre prefiere la compañía de mujeres; Bones es de modales toscos y directos, y siempre se rodea de hombres; Crane es forastero y yanqui; Brom es holandés y su familia ha habitado Sleepy Hollow durante generaciones; Ichabod siente un temor reverencial por lo sobrenatural, mientras que Bones muestra un desenfado irreverente ante los espectros; Ichabod es de espíritu idealista, frente al talante pragmático de su competidor. Incluso los caballos respectivos poseen las cualidades de sus amos: uno es brioso e indómito, el otro indolente y resabiado. Son pues dos **personajes antitéticos** e irreconciliables que deben dirimir su pugna para que el orden se restaure. El duelo entre Crane y Bones es sólo en parte por la hermosa heredera, pues en esa lucha está también en juego el futuro de Sleepy Hollow. Es la pugna del oportunista frente al legí-

timo propietario: Ichabod ambiciona a Katrina no por amor, sino por codicia, mientras Brom, verdadero «héroe» de la comarca, demuestra ser merecedor, por su ingenio y su coraje, de la
mano de la dama. Se asegura con ello, además, la continuidad
del valle, siempre bajo la constante amenaza del mundo exterior
que representa Crane. Es el triunfo del sentido común frente al
idealismo, de la realidad frente a la fantasía (del realismo frente
al romanticismo), de la existencia sedentaria frente a la vida
errante, de la sabiduría popular frente a la cultura institucional,
de la «sencillez» rural, en fin, frente a la «sofisticación» urbana
(aunque, al final, esos dos tópicos siempre asociados al campo y
la ciudad se vean desmentidos, pues Bones demuestra ser mucho
más complejo en su astucia que el sofisticado Crane).

El conflicto que recrea Irving, aunque anclado en un espacio
y en un tiempo concretos, trasciende sin embargo los límites de
Sleepy Hollow y, como en «Rip Van Winkle», se convierte en metáfora de la condición humana, de sus sueños y ambiciones, sus
grandezas y sus debilidades. Ichabod Crane es el gran perdedor
en este duelo, pero sólo en apariencia, pues la justicia poética se
muestra generosa y le propicia un futuro plagado de brillantes
éxitos como jurista y político, una vez que regresa al mundo urbano al que pertenece. El disparatado silogismo que formula el
anciano al final del cuento encierra, con todo, una sabia conclusión a la peripecia vital de Ichabod Crane, el humilde maestro de
escuela que soñó un día con engañar al destino y arrebatar de
Sleepy Hollow lo que a otro por derecho le correspondía.

Rip Van Winkle

Muerte y resurrección de Henry Hudson

El 17 de abril de 1610 partía el capitán Henry Hudson del puerto
londinense rumbo a las costas norteamericanas a bordo del *Dis-
covery*, un navío de cincuenta y cinco toneladas con el que se disponía a encontrar de una vez por todas un paso natural hacia el
Pacífico desde Europa. Era el cuarto intento de Hudson por des-

cubrir esa soñada vía que se había convertido en una obsesión y al fin en su propia perdición. Este viaje le llevó a las costas de Islandia y, desde allí, a la inmensa bahía que hoy conocemos con el nombre del navegante inglés. Tras muchos meses de recorrer inútilmente las costas de la bahía, Hudson y sus hombres se vieron sorprendidos por el crudo invierno ártico. El confinamiento y la soledad extrema pronto encendieron la mecha de la disputa y al cabo provocaron un motín a bordo. Los amotinados embarcaron al capitán, a su hijo y a otros siete marineros en un pequeño esquife y los abandonaron a su suerte en las aguas de la bahía el 26 de junio de 1611. Nunca se volvió a tener noticias de Hudson y su grupo. Siglo y medio después, sin embargo, el capitán y los suyos fueron vistos de nuevo por Rip Van Winkle, un humilde colono de origen holandés, que compartió con ellos un sombrío partido de bolos y un licor embriagante en las soledades de las montañas Catskill. Washington Irving nos recuerda, así, que incluso en los lugares más recónditos del Nuevo Mundo, el ser humano está llamado a encontrarse con su historia, aunque el encuentro traiga consigo consecuencias insólitas, como el sueño de veinte años en el que Rip se ve inmerso.

Fuente del relato

La fuente más directa de «Rip Van Winkle» es un viejo **cuento folclórico alemán**, titulado «**Peter Klaus**», que el escritor Otmar (considerado el Grimm de su época) publica en 1800 en su colección *Volks Sagen*. De hecho, el parecido es tan obvio que Irving fue acusado públicamente de plagio y se vio forzado a admitir que conocía el cuento, ya que lo había encontrado en tres libros distintos de leyendas alemanas. Cabe observar aquí el gran interés que despertaban en la época las leyendas y relatos tradicionales de los diferentes países, un rasgo claramente romántico.

«Peter Klaus» es la historia de un pastor de Sittendorf que solía llevar sus cabras a pastar al monte Kyfhäuser en la región de Thuringia. Un día una cabra se introdujo en una abertura entre las rocas y, al seguirla, el pastor se encontró en una cueva donde

A la izquierda, un amigo del pintor norteamericano George Waters, caracterizado como Rip Van Winkle (1871). A la derecha, grabado del ficticio Diedrich Knickerbocker.

la cabra comía avena caída del techo, que retumbaba por el galope de caballos. Al poco, apareció un paje y le indicó que le siguiera hasta una hondonada rodeada de altas paredes de roca y espesa vegetación donde doce caballeros de semblante serio jugaban a los bolos. Peter se echó a temblar ante aquellos caballeros barbudos y silenciosos que por señas le indicaban que participase con ellos en el juego, pero poco a poco superó el miedo y se atrevió a beber de una jarra: el trago le hizo sentirse rejuvenecido y, cada vez que se notaba cansado, volvía a beber, sin que jamás llegara a acabarse el licor. Al fin le sobrevino un profundo sueño y, al despertarse, se encontró en el prado donde acostumbraban a pastar sus cabras: pero ni a ellas ni a su perro los veía por parte alguna. Arbustos y árboles parecían cambiados. Desconcertado, se dirige a Sittendorf a preguntar por el rebaño. Los vecinos, desconocidos para Peter, le miran con extrañeza y se mesan las barbas cuando les pregunta por sus cabras, hasta que al llevarse la mano a su propia barba el pastor comprueba que le ha crecido desmesuradamente. Encuentra su casa en ruinas y un perro famélico le gruñe. Llama a su mujer y a sus hijos inútilmente, mientras los vecinos se congregan atraídos por el extraño. Peter pregunta por viejos conocidos, pero todos han muerto. Pregunta por fin a una hermosa joven, de asombroso parecido con su esposa, el nombre de su padre, y ella contesta: «Peter Klaus, Dios lo tenga en su gloria. Han pasado más de veinte años desde el día en que sus cabras regresaron sin él». Ante esas palabras, Peter revela su nombre y recibe una calurosa bienvenida. Las semejanzas entre el cuento alemán y el relato de Irving resultan patentes, hasta el punto que debemos hablar de *reescritura* más que de creación propia. Y sin embargo, los ingredientes que Irving añade en su versión convierten «Rip Van Winkle» en una obra maestra de la literatura. Por otra parte, la adaptación del cuento alemán a los paisajes de Nueva York ilustra muy bien el proceso de formación de la literatura norteamericana, que necesariamente adopta modelos y convenciones propias de la vieja Europa y los adapta a las nuevas circunstancias geográficas y políticas. Se pueden, no obstante, rastrear otras fuentes posibles para el cuento, ya que el motivo del sueño que dura años es uno de los más antiguos y universales.

La identidad como problema

Le peripecia vital de Rip Van Winkle constituye una profunda meditación sobre la naturaleza de la identidad humana, individual y colectiva. En este sentido, resulta muy significativa la escena en la que Rip regresa al pueblo después de su largo sopor de veinte años. Rip ignora los cambios acontecidos durante ese sueño y es, por tanto, incapaz de interpretar los muchos signos que le hablan del transcurso del tiempo. Cuando se despierta en la soleada mañana, Rip busca su escopeta, que yace a su lado oxidada y carcomida; llama a su inseparable Wolf, pero éste no aparece; acobardado por el miedo a su esposa, emprende el camino de regreso, pero éste ha cambiado hasta el punto de ser casi irreconocible; a medida que se acerca al pueblo comienza a cruzarse con gente, pero visten de manera extraña y son completos desco-

Acosado por las continuas broncas de su esposa, Rip se refugia en un «club de sabios, filósofos y demás personajes ociosos, que celebran sus reuniones junto a una posada».

nocidos para Rip; al entrar en el pueblo, los niños se agolpan a su lado señalándole la barba y los perros le ladran como nunca lo habían hecho; el pueblo mismo parece transformado, con más edificios y más gente; su propia casa, que le cuesta encontrar, está casi en ruinas, y el perro que por allí merodea, de asombroso parecido con Wolf, le gruñe y le enseña los dientes; de su mujer y sus hijos no queda rastro alguno, y las llamadas de Rip se pierden en el eco vacío de las habitaciones; incrédulo, se dirige a la posada, pero ya no existe y en su lugar se alza un destartalado hotel… Son todos indicios que para Rip no tienen sentido alguno, como no lo tiene la conversación que entabla con los parroquianos de ese hotel, sobre votos y elecciones, sobre democracia e independencia; una jerga del todo incomprensible para él, que se durmió británico y monárquico y se despertó estadounidense y republicano, aunque todavía lo ignore. Las implicaciones políticas del episodio son ricas, como después veremos. Nos interesa ahora el momento en que Rip, enterado de la muerte de sus conocidos y ante alguien que parece una réplica exacta de sí mismo, llega a cuestionarse su propia identidad, hasta el punto de no saber ya quién es:

> Yo no soy yo..., soy otro..., ese de ahí..., no..., ese es alguien que me ha suplantado... Anoche era yo, pero me quedé dormido en el monte y me han cambiado la escopeta y todo está cambiado y yo estoy cambiado y no sabría decir cómo me llamo ni quién soy.

Felizmente, al poco una vieja mujer reconoce en el anciano andrajoso y barbudo a Rip Van Winkle. Este **reconocimiento**, una verdadera *anagnórisis* aristotélica, significa la devolución a Rip de su persona, la restauración de su identidad cuando ya el anciano se encuentra al borde de la locura. De modo magistral, Irving pone ante el lector un dilema que afecta al ser humano de todo rango y condición: ¿es la identidad algo inherente al individuo o es, por el contrario, algo que la sociedad nos otorga y nos retira a su antojo?; ¿somos lo que creemos ser, o lo que los demás ven en nosotros? Aunque en clave de humor, el relato de Irving constituye una meditación certera sobre la condición humana, y la conclusión parece clara: ya no vale la máxima cartesiana «pienso, luego existo», que se ve sustituida por un «los demás me identifican, luego existo». El ser en sociedad es el único contexto en el que la individualidad parece cobrar sentido.

Por otra parte, el vacío existencial que Rip siente en ese instante de pánico anticipa actitudes muy modernas: hoy en día se potencia la **individualidad** a ultranza como manifestación suprema de la libertad democrática, y, desde esa perspectiva, Rip se erige en arquetipo del ser individual que elige sus propios derroteros, aunque le aparten del transcurso de la historia, y busca en la naturaleza lo que la sociedad no parece poderle aportar. Pero también hoy en día, y aunque resulte contradictorio, se cuestiona la esencia misma de la individualidad, ya que todos somos prisioneros de las grandes fuerzas (económicas, políticas, militares, etc.) que gobiernan nuestro mundo y modelan nuestra forma de ser y de actuar. Tal cuestionamiento, como hemos visto, encuentra ya su germen en la peripecia del humilde Rip, cuya vida está igualmente condicionada por su entorno.

Nacimiento del personaje norteamericano

Hasta el momento en que despierta, que adquiere ricas connotaciones simbólicas, Rip es un personaje unidimensional, carente de profundidad, silenciado por la voz autoritaria de un narrador que en ningún momento le permite hablar por sí mismo. De ahí el dominio absoluto del estilo indirecto con que el narrador nos ofrece su particular visión de hechos y personas. A partir del momento en que Rip abre los ojos a la nueva realidad (que es aún incapaz de comprender) se produce un cambio radical en el modo narrativo que no puede pasarnos desapercibido: el estilo indirecto se torna en directo y, por primera vez, tenemos ocasión de escuchar al personaje mismo, de oír esa voz hasta entonces silenciada. Las implicaciones de este cambio de estilo son profundas: el personaje plano sometido a los arbitrios de un narrador dominante se transforma en personaje autónomo con voz propia, alcanzando con ello su independencia. El paso de la tercera a la primera persona revela además otro cambio en el protagonista, cuya figura caricaturesca adquiere de pronto una dimensión trágica. Asistimos aquí al nacimiento simbólico del héroe literario norteamericano, resultado de un **múltiple proceso de liberación**: en un plano personal, Rip se libera de la opresión de su esposa, con lo que su felicidad es completa; en un plano político, Rip se libra del yugo colonial de Inglaterra, como el resto de sus compatriotas; en un plano narrativo, el personaje folclórico importado de Europa adquiere voz propia y se libera del narrador autoritario, que bien podemos identificar con el Viejo Mundo. Así, es el propio Rip quien contará su peripecia autobiográfica cientos de veces, ocupando el lugar del cronista, o narrador de historias (hermosa metáfora sobre el escritor), en la nueva sociedad del pueblo. Gracias a Rip Van Winkle, héroes genuinamente norteamericanos que vendrán después, como Huck Finn o Holden Caulfield, podrán contarnos con su propia voz (y en su propio lenguaje) las peripecias de su vida.

Interpretación política

Rip Van Winkle permanece dormido durante el proceso revolucionario que conduce a la independencia de los Estados Unidos. Cuando se despierta, todo ha cambiado excepto él: ése es el peligro de permanecer ausente, parece decirnos Irving en esta sutil meditación sobre la condición humana. **Sustraerse al tiempo** y a los cambios que acarrea significa desfasarse del presente, que se torna incomprensible. Los humanos somos hijos del tiempo, quizá sus prisioneros, y en el tiempo encontramos las claves que nos ayudan a comprender el mundo que habitamos. Antes de dormirse, Rip asume la ideología dominante en el momento, que se traduce en fidelidad al rey y la metrópoli británica; cuando se despierta, esa misma ideología ha devenido reaccionaria, lo que representa un grave riesgo para el protagonista. De ahí la relatividad de las ideologías, nos da a entender Irving, que no son universales absolutos y eternos sino el producto de unas circunstancias históricas concretas.

Este cuento es una **parodia sutil** de la joven **democracia americana**, así como de la noción misma de **poder**, representado por esa imagen del rey Jorge III que preside la taberna del pueblo y que se transforma luego, con simples retoques en la vestimenta, en la imagen del presidente Jorge Washington. Rip regresa a su pueblo un día en que se celebran elecciones y asiste atónito al espectáculo bullicioso y festivo que se desarrolla en la plaza. Frente a la pasividad flemática de sus contertulios de antaño, a los que Rip busca inútilmente, los desconocidos que ahora ocupan el espacio público son vociferantes y muestran una actividad que a Rip le resulta frenética. En lugar del sabio Van Bummel, siempre pausado y grave en sus comentarios de la actualidad a partir de periódicos viejos, Rip se encuentra a un individuo de dudoso as-

Los vecinos de Tarrytown contemplan asombrados a Rip tras sus veinte años de ausencia.

pecto que arenga con vehemencia a los vecinos. Muchos críticos han visto en esta representación ciertamente paródica del sistema democrático americano una muestra del conservadurismo político de Washington Irving. Para estos estudiosos, Irving da rienda suelta en este cuento a sus recelos por la nueva democracia y manifiesta una nostalgia más o menos disimulada por la monarquía británica. A la luz de lo expuesto hasta aquí, sin embargo, ésa resulta una lectura bastante simplista del relato y una visión bastante limitada del propio escritor. Aunque en el relato se aprecia una clara nostalgia por ese pasado de orden y sosiego que Rip conoció en la Norteamérica colonial (añoranza que se advierte asimismo en «La leyenda de Sleepy Hollow»), no podemos ignorar que para Rip ese pasado no era de felicidad plena, ya que vivía sometido al constante acoso de su dominante esposa, igual que las colonias vivían sometidas a las siempre crecientes demandas de la metrópoli. Sólo después de su largo sueño alcanza Rip ese estado de feliz ociosidad al que siempre había aspirado y, aunque encuentra a muchos de sus compinches de antaño, están tan maltrechos y desfasados que Rip prefiere la compañía de las nuevas generaciones, más afines a su gusto. La aparente nostalgia por el pasado se transforma, así, en un canto, no exento de críticas, por el presente. Que ello se haga en tono humorístico, y en ocasiones burlón, no es sino muestra de esa rica vena guasona que permea la literatura norteamericana y que encuentra en Washington Irving uno de sus máximos exponentes (como poco después lo encontrará en Mark Twain, digno descendiente del escritor de Nueva York).

Estructura simbólica

Uno de los aspectos más fascinantes de «Rip Van Winkle» es el complejo entramado simbólico subyacente en la obra. Son dos los símbolos que podemos considerar centrales, el pueblo y la montaña, en torno a los cuales se articulan una serie de elementos que enriquecen el alcance del cuento hasta otorgarle una **dimensión universal**, verdadera cualidad de las obras maestras. El relato presenta una **estructura circular** que recrea la peculiar peripecia del viaje de Rip (pues de un viaje, al fin y al cabo, se trata) como un desplazamiento de ida y vuelta entre dos espacios que resultan contrapuestos. En este sentido, Rip es un nuevo Ulises (arquetipo del eterno viajero) que regresa a casa tras su larga y particular odisea. El **pueblo** representa la civilización, ese «ser en sociedad» al que antes se hacía referencia; la **montaña** representa la naturaleza que rodea como un océano misterioso ese islote de civilización, y por extensión, al «ser en soledad», pues es aquí donde Rip se sustrae a sus lazos sociales. La montaña es el ámbito de la magia, el lugar donde la realidad adquiere una dimensión distinta del realismo pragmático que caracteriza la vida en el pueblo. La montaña es, además, un espacio onírico que induce al sueño. Para Rip significa la libertad de la que en casa carece, un ámbito propio en el que refugiarse de la tiranía cotidiana de su esposa. Debemos observar, no obstante, la dualidad de estos símbolos, ya que tanto el pueblo como la montaña ofrecen aspectos positivos y negativos, sin constituir ninguno el lugar ideal (pues los ideales, parece decirnos aquí Irving, no existen).

«Nuevos motivos de asombro se le ofrecieron a la vista a Ichabod: un grupo de personajes de extraña catadura jugaba a los bolos». Ilustración de Arthur Rackham.

La montaña es el espacio de feliz libertad para Rip, la evasión de su opresiva esposa; pero esta liberación tiene un elevado coste, ya que Rip se ve privado de los veinte años que representan la plenitud de su vida y que se evaporan en un sueño. Aunque psicológicamente es el mismo, Rip sufre los rigores del tiempo en su persona y su hacienda. Quizá, al fin y al cabo, la naturaleza no sea un refugio tan ideal para el descontento.

El pueblo, por su parte, trasciende su naturaleza de símbolo para adquirir la condición de verdadero personaje, representación de la sociedad norteamericana antes y después de la independencia. En los tiempos coloniales, la aldea de Rip aparece como un remanso de paz donde los vecinos cohabitan en armonía, un lugar donde el tiempo apenas cuenta y la vida transcurre con la placidez de las estaciones. Para Rip, sin embargo, no todo es tan idílico, pues su tendencia natural a la holgazanería se ve acosada por una esposa que no se resigna a la ruina familiar. Tras la revolución, la aldea se ha convertido en pueblo, la ociosidad se ha tornado en bulliciosa actividad, la mesura política ha dado paso al proselitismo partidista; se han desvirtuado, pues, los valores fundamentales de esa comunidad antes idílica. Incluso el árbol frondoso que daba sombra a la taberna ha sucumbido junto a ésta y en su lugar se alza el mástil de la nueva bandera americana. La antigua armonía entre sociedad y naturaleza se convierte en alienación creciente del hombre de su entorno natural: la máquina sustituye al bosque como el mástil ocupa el lugar del árbol en la plaza del pueblo. En el entramado simbólico del texto, este árbol caído representa el cambio de actitud de la sociedad americana frente a la naturaleza, un cambio que se irá acentuando con el tiempo, como ya consiguió anticipar Washington Irving en éste y otros textos. A pesar de todos los aspectos negativos, es en este nuevo pueblo donde Rip consigue sin embargo cumplir su vocación ociosa y contemplativa, lo que añade una nueva ironía: cuando en la aldea dominaba la inactividad, Rip se veía perseguido por su manía al trabajo; cuando el pueblo se torna mercantil, Rip ve respetada su holgazanería.

Son otros muchos los elementos simbólicos que participan en este juego de ambigüedades, pero la falta de espacio no permite abordar aquí su análisis detallado. **Henry Hudson** y su grupo de fantasmas, por ejemplo, representan el otro gran hito histórico presente en el relato junto a la Revolución: la exploración y fundación de las colonias de Norteamérica. Además, introducen el **elemento mágico** en un cuento hasta ese momento decididamente realista. Dentro de la economía del relato, la aparición de Hudson resulta tan «creíble», al menos, como el sueño de Rip: al fin y al cabo, si éste pasa veinte años dormido, aquellos bien pueden haber pasado siglo y medio deambulando por las montañas de Nueva York. El tiempo se proyecta, así, como algo relativo, pues pasado y presente resultan indisociables. Y aunque el tiempo trae cambios, en realidad nada parece cambiar: a un Rip le sucede otro Rip, y a un Wolf otro, como a un rey le sucede un presidente. Ahí reside la esencia arquetípica de este espléndido relato, pues aunque nos habla de cambios, nos habla aún más de permanencias. Por ello, como al principio se afirmaba, «Rip Van Winkle» tiene un alcance universal.

La leyenda
de Sleepy Hollow

Traducción de Manuel Broncano

LEYENDA ENCONTRADA ENTRE LOS PAPELES DEL DIFUNTO DIEDRICH KNICKERBOCKER[1]

Era una tierra agradable de cabeza soñolienta,
de sueños que flotan ante los ojos entreabiertos,
y de alegres castillos en las nubes que pasan
revoloteando incansables en el cielo de verano.

Castillo de Indolencia[2]

En el regazo de una de las amplias calas que quiebran la margen oriental del Hudson, en ese gran ensanche del río que los antiguos navegantes holandeses llamaban Tappan Zee[3] y que siempre cruzaban implorando la protección de san Nicolás,[4] mientras por prudencia recogían velas, allí se encuentra una pequeña localidad portuaria que algunos denominan Greensburgh, pero cuyo nombre más habitual y apropiado es el de Tarrytown.[5] Según dicen, el nombre se lo pusieron en otro tiempo las buenas comadres de la comarca, debido a la inveterada[1] propensión de sus maridos a demorarse en la taberna del pueblo los días de mercado. No afirmo, en todo caso, que el hecho

---

1 *inveterada*: antigua y arraigada.

1 Sobre este personaje ficticio, véase la «Introducción», pp. XIV-XVI.
2 Fragmento de un poema del escritor escocés James Thomson (1700-1748) que celebra la ociosidad humana.
3 Este nombre holandés significa 'ancho mar'.
4 San Nicolás (270-310) fue un santo muy venerado por los marineros, que lo invocaban en caso de tormenta. Era muy popular entre los holandeses, que introdujeron su culto en Nueva Amsterdam (Nueva York). Con el tiempo se convirtió en el Santa Klaus de los norteamericanos.
5 Población situada al sureste del estado de Nueva York, a orillas del mencionado «gran ensanche» del río Hudson. Su nombre podría traducirse como 'Villa Demorada', de ahí el comentario posterior del narrador.

sea cierto, y sólo lo menciono con el fin de no descuidar detalle
en este relato verídico. No muy lejos, quizá a unos tres kilómetros del pueblo, hay un vallecito (en realidad, una mera depre-
sión del terreno) rodeado de altas colinas que constituye uno
de los lugares más apacibles del mundo. Un arroyuelo corretea
por él con un suave murmullo que invita al sueño, y el canto
esporádico de la codorniz, o el repiqueteo del pájaro carpintero, son apenas los únicos sonidos que llegan a alterar la tranquilidad reinante.

Recuerdo que, de niño, mi primera gesta como cazador de
ardillas tuvo lugar en un bosquecillo de grandes nogales que
cubre una ladera de ese valle. Me había aventurado allí al me-
diodía, a esa hora en que la naturaleza se muestra tan apacible,
cuando de repente me sobresaltó el estruendo de mi propia escopeta al romper la calma dominical del entorno con detona-
ciones que el enojado eco prolongó. Si alguna vez deseara yo
un lugar para el retiro, un lugar donde sustraerme del munda-
nal ruido, de sus distracciones y quimeras,[2] y pasar soñando el
resto de una vida ajetreada, no sé de ninguno tan prometedor
como ese valle.

A causa del reposo adormecido del lugar y del carácter peculiar de sus habitantes, que descienden de los primeros colonos holandeses, a esta recóndita cañada[3] se la conoce, desde hace mucho, con el nombre de SLEEPY HOLLOW, o 'valle dormido', y por todo el contorno se refieren a sus rústicos mozalbetes
con ese gentilicio.[4] Una influencia adormecedora, onírica,[5] parece cernirse sobre el paisaje e impregnar la propia atmósfera.
Algunos afirman que el lugar fue hechizado por un médico de
la alta Alemania durante los primeros días de la colonización;
otros, que un viejo jefe indio, adivino o hechicero de su tribu,
celebraba allí sus ceremonias antes de que la región fuera des-

---

2 *quimera*: ilusión vana.
3 *cañada*: pequeño valle entre dos alturas.
4 *gentilicio*: nombre o adjetivo que expresa lugar de origen.
5 *onírica*: de los sueños.

cubierta por el capitán Hendrick Hudson.⁶ Lo cierto es que el
lugar sigue bajo el influjo de algún poder mágico que tiene hechizadas a las buenas gentes y las hace caminar en un continuo
ensueño. Son muy dados allí a creencias maravillosas de toda
clase; propensos a trances y visiones, a menudo ven fenómenos
extraños y oyen música y voces en el viento. Por toda la comarca abundan historias locales, lugares encantados y supersticiones nocturnas; estrellas fugaces y brillantes meteoros surcan el
cielo del valle más a menudo que en ninguna otra parte del país,
y el íncubo, con sus nueve vástagos, parece encontrar allí el escenario preferido de sus correrías.⁷

Sin embargo, el espíritu que campea a sus anchas por esta
región encantada, y que parece ser el jefe supremo de todos los
poderes del aire, es el espectro de un jinete sin cabeza. Algunos
dicen que es el fantasma de un mercenario alemán⁸ a quien
una bala de cañón le voló la cabeza en alguna batalla anónima
durante la guerra de la Independencia, y a quien los lugareños,
de vez en cuando, ven pasar a toda prisa en las sombras de la
noche, como si fuera en alas del viento. Sus dominios no se li-
mitan al valle, sino que a veces se extienden a los caminos aleda-
ños⁶ y, sobre todo, a los alrededores de una ermita cercana. Algunos de los historiadores más fiables de esos parajes, que han
recopilado y cotejado con mucho cuidado los datos dispersos
referidos al espectro, sostienen que el cuerpo del jinete fue en-
terrado en el cementerio de la ermita y que, desde allí, el fantasma cabalga hacia el escenario de la batalla en nocturna búsque-

---

6 *aledaños*: de los alrededores.

6 El explorador inglés Henry Hudson (1565-1611) buscó en cuatro viajes (tres por
   encargo de los ingleses y uno de los holandeses) un paso a través del océano
   Ártico. Sus exploraciones abrieron el camino de la región del río Hudson a los
   colonos holandeses.

7 La frase procede de la obra de Shakespeare *El rey Lear* (III.IV.113). El término
   íncubo equivale aquí a 'pesadilla'.

8 Durante la guerra de la Independencia norteamericana (1775-1783), el ejército
   británico contrató a numerosos mercenarios alemanes, sobre todo del área de
   Hesse, para combatir a los colonos sublevados.

da de su cabeza; y añaden que la velocidad vertiginosa con que
a veces cruza el valle, como un rayo en la noche, se debe a que se
le ha hecho tarde y tiene prisa por regresar al camposanto[7] antes del amanecer.

Tal es el tenor[8] de esta superstición legenda-
ria, que ha proporcionado material para muchas historias deli-
rantes en aquella región de sombras: al espectro se le conoce en
todos los hogares de la comarca con el nombre del Jinete sin
Cabeza de Sleepy Hollow.

Resulta curioso observar cómo esta propensión a lo visiona-
rio que he mencionado no afecta tan solo a los habitantes ori-
ginarios del valle, sino que se contagia de modo inconsciente a
todos los que allí residen algún tiempo. Por muy despiertos que
hayan estado antes de adentrarse en esa región somnolienta, en
muy poco tiempo inhalarán sin duda la influencia embrujado-
ra del aire y empezarán a tornarse imaginativos…, a tener sueños y ver apariciones.

Menciono este apacible paraje del modo más laudatorio,[9] ya
que es en esos recónditos valles holandeses, que se encuentran
enclavados, aquí y allá, en el gran estado de Nueva York, donde
la población, las costumbres y los modales no han variado lo
más mínimo, mientras que el gran torrente de migración y desarrollo, que tantos y tan continuos cambios está produciendo
en otras partes de este inquieto país, pasa a su lado desapercibido. Son como esos pequeños recodos de agua encalmada que
bordean un torrente, donde podemos ver anclados al junco y la
burbuja meciéndose suavemente, o dando lentas vueltas en su
ficticio puerto, ajenos al estrépito de la corriente que baja. Aunque han pasado muchos años desde que pisé las umbrías[10] ador-
mecedoras de Sleepy Hollow, me pregunto si acaso no encontraría aún hoy los mismos árboles y las mismas familias vege-
tando en su abrigado seno.

---

7 *camposanto*: cementerio.
8 *tenor*: contenido principal.
9 *laudatorio*: con alabanza.
10 *umbría*: lugar que, por su orientación, está siempre a la sombra.

En ese apartado lugar de la naturaleza vivió, en un periodo
remoto de la historia norteamericana (es decir, hace unos treinta años), un individuo respetable llamado Ichabod Crane,[9] que
habitaba o, como él decía, «se demoraba» en Sleepy Hollow,
con el fin de educar a los niños de la vecindad. Era natural de
Connecticut, un estado que abastece a la Unión con pioneros,
no sólo de los bosques sino también del espíritu, y cada año exporta legiones de leñadores y maestros de escuela. El apellido,
que significa 'grulla', no resultaba inapropiado para su persona,
pues era alto y enjuto,[11] de hombros estrechos, piernas y brazos
exageradamente largos, manos que colgaban a un kilómetro de
las mangas y pies que bien podrían servirle de palas; su figura
entera, en fin, parecía a punto de descoyuntarse. Tenía la cabeza
pequeña y la mollera plana, las orejas enormes, los ojos grandes, verdes y vidriosos, y una larga nariz de garza que parecía
un gallo de veleta encaramado en el eje del cuello para indicar
la dirección de los vientos. Al verle caminar por el perfil de una
colina en un día de viento, con las ropas hinchadas y ondeantes
sobre su figura, bien podría confundírsele con el genio del hambre descendiendo sobre la tierra, o con algún espantapájaros
escapado de un maizal.

Su escuela era una edificación de poca altura con una sola
aula de buen tamaño, toscamente construida con troncos; las
ventanas estaban en parte acristaladas y en parte cubiertas con
hojas de cuadernos viejos. Cuando estaba desocupado, el edificio disponía de un ingenioso sistema de seguridad consistente
en un mimbre enrollado en la manilla de la puerta y una serie
de postes que atrancaban por fuera las contraventanas, de tal
modo que, aunque un ladrón pudiera entrar con toda facilidad,
salir le resultaría más complicado; una idea para la que el ar-
quitecto, Yost Van Houten, se inspiró con toda seguridad en el

---

11 *enjuto*: delgado.

9 Ichabod, en castellano Icabod, es un nombre bíblico que en hebreo significa
'¿dónde está la gloria?'. Véase *Samuel* I, 4,21.

misterio de las nasas[12] para anguilas. La escuela se alzaba en un lugar apartado pero ameno, al pie mismo de una colina poblada de árboles, con un arroyo que corría muy cerca y un abedul enorme que crecía al lado. En los días soporíferos[13] del verano podían oírse desde allí las voces de los escolares que recitaban la lección como el zumbido de un enjambre, interrumpido a veces por la voz autoritaria del maestro en tono de orden o amenaza, o acaso por el terrorífico silbido de la vara de abedul, con la que urgía a algún holgazán rezagado a recorrer el sendero florido del conocimiento. En honor a la verdad, debo decir que era hombre muy concienzudo y siempre tenía presente el sabio refrán: «quien bien te quiere te hará llorar». Los alumnos de Ichabod Crane, desde luego, no estaban faltos de cariño.

No quisiera, sin embargo, dar la impresión de que se trataba de uno de esos crueles potentados de escuela que se deleitan con el rigor de las disciplinas;[14] por el contrario, administraba justicia con más juicio que severidad, pues descargaba la espalda del débil para cargar la del fuerte. Al muchachillo enclenque, que pestañeaba al menor movimiento de la vara, lo perdonaba con indulgencia;[15] pero el imperativo de la justicia lo satisfacía infligiendo una ración doble a algún pillastruelo holandés de amplio mandilón,[16] tozudo y recio que, ante los golpes de la vara, enrojecía y se sublevaba, mientras aumentaba su obstinación y mal genio. Ichabod decía que eso era «cumplir con el deber que sus padres le habían encomendado», y nunca aplicaba un castigo sin afirmar acto seguido, de forma muy consoladora para el pequeño reo, que aquello «lo recordaría y se lo agradecería todos los días de su vida».

---

12 *nasa*: artificio para pescar, consistente en una cesta cilíndrica, con un embudo con la punta hacia dentro en una de sus bases, y una tapadera en la opuesta.
13 *soporífero*: que produce sueño.
14 *disciplinas*: el término tiene aquí el triple sentido de 'asignaturas', 'azotes', y 'normas severas de conducta'.
15 *indulgencia*: benevolencia, cualidad de la persona que juzga o castiga las faltas de otros sin severidad.
16 *mandilón*: bata que usan los niños en la escuela.

Terminadas las clases, se convertía incluso en el compañero de juegos de los chicos mayores, y las tardes de fiesta acompañaba a casa a alguno de los más pequeños, que solían tener hermanas bonitas o madres que eran excelentes amas de casa, reputadas por las bondades de su cocina. Desde luego, a Ichabod le interesaba mucho llevarse bien con sus alumnos: los ingresos que le reportaba la escuela eran magros[17] y apenas le habrían alcanzado para el pan de cada día, pues era un glotón impenitente y, aunque larguirucho, podía dilatarse como una anaconda.[18] Sin embargo, para ayudar a su sustento recibía, de acuerdo con la costumbre de la comarca, habitación y comida en casa de los granjeros a cuyos niños instruía. Con cada uno de ellos residía sucesivamente una semana, y así recorría el vecindario, llevando todas sus posesiones mundanas envueltas en un hatillo.

Para no resultar demasiado oneroso[19] a los bolsillos de sus rústicos clientes, que son dados a considerar el coste de la educación una severa carga y a los maestros meros zánganos, tenía diversos modos de hacerse útil y agradable. A veces colaboraba en las labores más livianas de la granja: ayudaba con el heno, reparaba vallas, abrevaba los caballos, recogía las vacas del prado y cortaba leña para el invierno. Además, dejaba a un lado la actitud dominante y el poder absoluto con que reinaba en su pequeño imperio, la escuela, y se volvía increíblemente amable y zalamero.[20] Las madres lo miraban con buenos ojos porque mimaba a los niños, sobre todo a los más pequeños; y como el lobo ladino[21] que antaño arrullaba magnánimo al cordero,[10] se sentaba con un niño en el regazo mientras con el pie mecía la cuna de otro durante horas.

---

17 *magros*: pobres, escasos.
18 *anaconda*: serpiente de hasta diez metros de longitud.
19 *oneroso*: que representa una carga económica importante.
20 *zalamero*: que le hace a alguien demasiados halagos o caricias para contentarlo.
21 *ladino*: astuto, taimado.

10 La frase procede de *New England Primer*, una cartilla escolar del siglo XVII que enseñaba el abecedario y la Biblia a la vez, y en cuya letra «L» se dice: «Serán vecinos el lobo y el cordero» (*Isaías*, 11,6).

Además de sus otras vocaciones, Ichabod era el maestro de coro de la vecindad y se ganaba sus buenos cuartos instruyendo a los jóvenes en el canto. Sentía no poco orgullo al ocupar su lugar los domingos al frente del coro, con un grupo selecto de cantores, y desde allí arrebatarle el protagonismo al mismo párroco, al menos en su propia imaginación. Verdad es que su voz resonaba muy por encima del resto de la congregación y, todavía hoy, en ciertas mañanas tranquilas de domingo pueden oírse a casi un kilómetro de aquella iglesia, justo al otro lado del azud[22] del molino, unos trinos muy peculiares que, según dicen, descienden legítimamente de la nariz de Ichabod Crane. Así que, con apaños diversos, de ese modo ingenioso que habitualmente se denomina «por las buenas o por las malas», el respetable pedagogo se las ingeniaba para ir tirando, aunque todos aquellos que nada sabían de esfuerzos intelectuales pensaban que se daba muy buena vida.

Por lo general, el maestro es persona de cierta importancia en los círculos femeninos de los ambientes rurales: se le considera una especie de personaje ocioso, al estilo de los caballeros, de gustos y logros inmensamente superiores a los rudos zagales del campo y, desde luego, sólo inferior en conocimientos al párroco. Su llegada, por tanto, bien puede causar un pequeño revuelo en la mesa de alguna granja durante la merienda, a la que quizá se añade entonces una bandeja repleta de pasteles o de golosinas, o en la que acaso se hace ostentación de una tetera de plata. Así pues, nuestro hombre de letras se sentía feliz haciendo sonreír a las damiselas del lugar. Los domingos, a la salida de misa, ¡cómo se pavoneaba ante ellas en el cementerio de la iglesia![11] Para ellas recogía uvas de las parras silvestres que trepaban por los árboles circundantes; recitaba para su entretenimiento los epitafios de las lápidas, o paseaba con un nutrido grupo por el azud del molino colindante, mientras los paletos

---

22 *azud*: represa pequeña en un río.

11 Antiguamente, el cementerio estaba situado junto a la iglesia.

del lugar, más vergonzosos, le seguían tímidamente, envidiosos de su elegancia y sus modales superiores.

A causa de su vida medio itinerante era, además, una especie de gaceta[23] ambulante que llevaba de casa en casa los últimos cotilleos, por lo que su llegada era siempre bien recibida. Más aún, las mujeres lo consideraban hombre de gran erudición, porque había leído de cabo a cabo varios libros y era un notable experto en la *Historia de la brujería en Nueva Inglaterra*, de Cotton Mather,[12] en la que, por cierto, creía del modo más firme y poderoso.

Ichabod era, de hecho, una mezcla curiosa de pequeña astucia y simple credulidad. Su apetito por lo maravilloso y su capacidad para digerirlo eran también extraordinarios, y ambos se habían incrementado durante su estancia en esta región hechizada. No había cuento demasiado monstruoso o desagradable para sus amplias tragaderas. Con frecuencia, después de concluidas las clases de la tarde, se deleitaba tumbándose sobre el rico lecho de trébol, a orillas del arroyuelo que corría cantarín junto a la escuela, y allí se aprendía de memoria los espantosos relatos del viejo Mather, hasta que la creciente penumbra del atardecer convertía la página impresa en mera neblina. Al emprender luego el regreso hacia la granja donde a la sazón residiese, cruzando ciénagas, torrentes y bosques oscuros, cada sonido de la naturaleza a esa hora embrujada encendía su imaginación febril: el graznido del chotacabras* en la colina; el

23 *gaceta*: nombre que se aplicaba antiguamente a los periódicos.

12 Cotton Mather (1663-1728) fue teólogo, escritor y político. Sus sermones se consideraron como una de las causas instigadoras de los juicios de Salem (1692), en los que se condenó a la hoguera o la tortura a un nutrido grupo de colonos, acusados de brujería. El título de la obra de Mather es, en realidad, *Magnalia Christi Americana*. En ella abundan los barcos fantasmas pilotados por mujeres espectrales, herejes que alumbran monstruos, apariciones que persiguen a inocentes con instrumentos de tortura, etc.

* El *chotacabras* es un pájaro que sólo se escucha de noche. Recibe su nombre de la creencia popular de que estas aves acuden a los establos a chupar la leche de ovejas y cabras (*Nota del autor*).

croar ominoso[24] del sapo de zarza, presagio de tormenta; el monótono ulular de la lechuza, el aleteo repentino entre las ramas de pájaros asustados en sus nidos. A veces también le espantaban las luciérnagas, que brillaban con gran intensidad en los lugares más oscuros, cuando una de luz poco común se cruzaba en su camino; y si por casualidad un escarabajo enorme, el muy zoquete,[25] topaba con él aleteando con su torpe vuelo, el pobre bribón se disponía a exhalar su último suspiro, convencido de que le había golpeado la vara de una bruja. En ocasiones tales, su único recurso para distraer la mente o ahuyentar los malos espíritus era entonar salmos..., y las buenas gentes de Sleepy Hollow, sentadas a la puerta al atardecer, con frecuencia se llenaban de espanto al escuchar su melodía nasal, «de dulzura arrebatada y sostenida»,[13] que flotaba desde la distante colina o a lo largo del sombrío camino.

Otra fuente de placer morboso la encontraba Ichabod en las largas veladas de invierno, cuando, sentado junto a las ancianas holandesas que hilaban al amor del fuego, frente a una ristra de manzanas que se asaban chisporroteando en el hogar, escuchaba sus relatos maravillosos de duendes y fantasmas, de campos encantados, de arroyos y puentes hechizados, y, en particular, del jinete sin cabeza, el Mercenario Galopante del Valle, como a veces lo llamaban. También Ichabod las deleitaba con anécdotas de brujería, de presagios y visiones terribles, o de sonidos portentosos en el viento, muy abundantes en los primeros tiempos de Connecticut; y las asustaba terriblemente con especulaciones sobre cometas y estrellas fugaces, así como con el alarmante hecho de que la Tierra daba vueltas completas, ¡por lo que todos ellos pasaban la mitad del tiempo cabeza abajo!

Sin embargo, el placer de estar acurrucado al abrigo de la chimenea en un rincón de una sala toda inundada del resplan-

---

24 *ominoso*: de mal agüero.
25 *zoquete*: muy torpe.

13 Se trata de una cita de *L'Allegro*, obra del poeta inglés John Milton (1608-1674).

dor rojizo de los leños ardientes (donde, por supuesto, ningún espectro se atrevía a asomarse), había de pagarlo a un precio muy alto, pues, al regresar a casa, pasaba un miedo atroz. ¡Qué formas y qué sombras tan espantosas lo asediaban por el camino bajo el brillo débil y fantasmal de una noche nevada!... ¡Con qué ansiedad miraba los rayos temblorosos de luz que se proyectaban sobre los páramos desde alguna ventana distante!... ¡Cuántas veces le espantaba algún arbusto cubierto de nieve que, como un fantasma ensabanado, acechaba en el camino!... ¡Cuántas veces se paralizaba de miedo con el ruido de sus propios pasos sobre la escarcha y no se atrevía a mirar atrás por temor a ver algún ser deforme siguiendo de cerca sus pasos!... ¡Y cuántas veces se sintió presa del pánico ante alguna ráfaga impetuosa que ululaba entre las ramas, en la creencia de que era el Jinete Fantasma en alguna de sus correrías nocturnas!

Todo eso, sin embargo, no eran sino temores inspirados por la noche, fantasmas de la mente que camina en tinieblas; aunque a lo largo de su vida había visto muchos espectros, y más de una vez Satán le había asediado en diferentes formas cuando paseaba de noche, la luz del día ponía fin a tales maleficios; y habría pasado así una vida placentera, a pesar del diablo y de todas sus obras, si en su camino no se hubiese cruzado alguien que causa más perplejidad al hombre mortal que fantasmas, duendes y toda la raza de brujas, y eso fue... una mujer.

Entre los alumnos de música que, una vez a la semana, se reunían para las clases de canto de Ichabod se encontraba Katrina Van Tassel, hija única de un acaudalado granjero holandés. Era una joven en la flor de los dieciocho años; regordeta como una perdiz; madura, tierna y de mejillas sonrosadas como uno de los melocotones de su padre, y de fama universal, no sólo por su belleza, sino también por su rica dote.[26] Con todo, Katrina era un poco coqueta, como podía percibirse incluso en su ropa, que llevaba combinando la moda antigua y moder-

---

26 *dote*: bienes o dinero que aporta la mujer al matrimonio.

na, una mezcla muy apropiada para realzar sus encantos. Lucía joyas de oro puro que su tatarabuela había traído desde Saardam,[14] además de un ajustado ceñidor de los de antaño y unas faldas insinuantemente cortas que descubrían el pie y el tobillo más hermosos de todo el contorno.

En cuestión de amores, Ichabod Crane tenía un corazón débil y alocado, y no es de extrañar que un bocado tan apetecible gozara en seguida de su favor, sobre todo después de haberla visitado en el hogar paterno. El viejo Baltus Van Tassel era el retrato perfecto del granjero floreciente, satisfecho y de espíritu liberal. Bien es cierto que rara vez apartaba la vista o el pensamiento más allá de los límites de su granja, pero dentro de ellos todo era cómodo, feliz y bien acondicionado. Estaba satisfecho de su riqueza, pero no orgulloso, y hacía más alarde de la cordialidad que derrochaba que del modo en que vivía. Su fortaleza estaba situada a orillas del Hudson, en uno de esos recodos abrigados, verdes y fértiles donde los granjeros holandeses son tan aficionados a construir su nido. Un gran olmo extendía allí sus ramas y a sus pies brotaba, de un pequeño pozo hecho con un tonel, un manantial del agua más pura y cristalina, que se alejaba luego reluciente por el prado hasta un arroyo aledaño que corría borboteante entre alisos y sauces enanos. Muy cerca de la casa había un granero que bien podría haber servido de iglesia; todas sus puertas y ventanas parecían a punto de reventar con los tesoros de la granja: el mayal[27] resonaba sin parar de la mañana a la noche; vencejos y golondrinas revoloteaban entre gorgojos por los aleros, y sobre el tejado tomaban el sol hileras de palomas, algunas con un ojo alzado, como si observaran el tiempo, otras con la cabeza bajo el ala o escondida en el pecho, otras ahuecándose ante sus damas, a las que cortejaban entre arrullos; cerdos lustrosos y de buen tamaño gruñían en el reposo y la abundancia de sus pocilgas, de las que de vez en

---

27 *mayal*: utensilio de madera con el que se desgrana el centeno golpeándolo.

14 En la actualidad, Zaandam, localidad holandesa cercana a Amsterdam.

cuando salían tropas de lechones como si quisieran olfatear el aire. Un majestuoso escuadrón de níveos gansos nadaba en el estanque adyacente, escoltados por verdaderas flotas de patos; regimientos de pavos glugluteaban y picoteaban por el patio, mientras las gallinas de guinea[28] se movían inquietas, como esposas gruñonas, cacareando su enfado y descontento. Frente a la puerta del granero se contoneaba el apuesto gallo, ese modelo de marido, de guerrero, de caballero educado, agitando sus bruñidas alas y cacareando el orgullo y la alegría de su corazón: a veces escarbaba la tierra con las patas y luego llamaba, generoso, a su siempre hambrienta familia de esposas e hijos para que disfrutaran el rico manjar que había descubierto.

La boca se le hacía agua al pedagogo mientras contemplaba esa suntuosa promesa de opíparos[29] manjares para el invierno. En la mirada devoradora de su mente, se imaginaba a todos los cerdos que por allí correteaban con la barriga rellena de pudín y una manzana en la boca; las palomas se acostaban cómodamente en un lecho de masa panadera y se arropaban con una colcha de la misma masa; los gansos nadaban en su propio jugo y los patos se emparejaban cariñosamente en las fuentes, como matrimonios bien avenidos, con una modesta dote de salsa de cebolla. En los cebones[30] veía talladas las piezas lustrosas de panceta y el jugoso jamón bien sazonado; no había pavo que no imaginara delicadamente ensartado en brochetas, con sus mollejas bajo el ala y, acaso, con un collar de sabrosas salchichas al cuello; y hasta el brillante Cantaclaro[14] yacía tumbado de espal-

---

28 *gallina de guinea*: ave gallinácea negruzca con manchas blancas.
29 *suntuosa*: lujosa; *opíparo*: bueno y abundante.
30 *cebón*: lechón, cerdo que todavía mama.

14 La figura del gallo Cantaclaro pertenece a la tradición medieval. Aparece por primera vez en la obra del siglo XII *Roman de Renart*, cuyo protagonista es un zorro que simboliza la astucia humana. De la figura de Cantaclaro, que alcanzó gran difusión en Europa, existen varias versiones en diferentes idiomas. La más célebre es sin duda «El capellán de monjas», uno de los *Cuentos de Canterbury* de Geoffrey Chaucer (1340-1400). En ese relato, el ingenuo y bravucón gallo Cantaclaro cae en las fauces de una zorra, a la que no obstante acaba burlando.

das, en una fuente con guarnición, las garras al aire, como si ahora pretendiera conseguir la clemencia que su espíritu caballeroso desdeñó pedir en vida.

Mientras el embelesado Ichabod se imaginaba todo eso y recorría con la vista los crecidos prados, los ricos campos de trigo, de centeno, de alforfón,[31] y los huertos repletos de fruta madura que rodeaban el cálido hogar de Van Tassel, su corazón suspiraba por la dama que iba a heredar esos dominios y su imaginación se expandía ante lo fácil que sería convertirlos en efectivo e invertir el dinero en extensiones inmensas de tierra virgen y construir allí palacios de madera. Más aún, su ardiente imaginación ya había hecho realidad sus esperanzas y le presentaba a la floreciente Katrina con toda una familia de niños subidos en un carro cargado de utensilios domésticos, con cazuelas y potes colgando de los lados, y se veía a sí mismo montado en una yegua al paso, con un potrillo a los talones, camino de Kentucky, Tennessee o Dios sabe dónde.

Cuando entró en la casa su corazón se rindió por completo. Era una de esas espaciosas granjas con tejados de altos gabletes[32] y aleros empinados, construida al estilo de los primeros colonos holandeses. Los aleros se prolongaban hasta formar soportales que podían cerrarse en invierno. Bajo ellos se colgaban desgranadores, arneses, aperos diversos de labranza[33] y redes para pescar en los ríos de los alrededores. Se habían construido bancos junto a las paredes para el verano; y a un lado una gran rueca y al otro una mantequera mostraban los variados usos a los que se podía dedicar ese imponente porche. Desde ese soportal, el asombrado Ichabod entró a la sala, que constituía el centro de la mansión y era la estancia habitual. Allí le deslumbraron las hileras de objetos de refulgente peltre[34] colocados en

---

31 *alforfón*: planta con cuya semilla se elabora un pan de mala calidad.
32 *gablete*: remate en ángulo agudo sobre cualquier elemento arquitectónico.
33 *arneses*: correas y demás cosas que se les ponen a las caballerías para poder cargarlas y montarlas; *aperos*: conjunto de utensilios de labranza.
34 *peltre*: aleación de zinc, plomo y estaño, muy empleada antiguamente para objetos de uso doméstico.

un aparador. En un rincón había una enorme saca de lana lista para ser hilada; en otro, cierta cantidad de paño recién salido del telar; sobre las paredes colgaban alegres guirnaldas con mazorcas de maíz y ristras de melocotones y ciruelas pasas, mezcladas con otras ristras de pimientos; y una puerta entreabierta le permitió echar una ojeada al mejor de los salones, donde los sillones con patas en forma de garra y las oscuras mesas de caoba relucían como espejos; los morillos,[35] con su pala y su tenaza correspondientes, brillaban bajo el remate de esparraguera de la chimenea; naranjas artificiales y caracolas de concha decoraban la repisa; sobre ella pendían ristras de huevos de pájaro de diferentes colores: un huevo enorme de avestruz colgaba del centro de la habitación y, en un rincón, un aparador, con la puerta entreabierta a propósito, mostraba un tesoro inmenso de plata antigua y porcelana bien conservada.

Desde el mismo momento en que Ichabod posó la mirada en esas regiones de delicia, perdió la paz de espíritu y su única preocupación fue encontrar el modo de ganarse el afecto de la sin par hija de Van Tassel. En esta empresa, sin embargo, tenía más dificultades reales de las que por lo general le tocaba afrontar al caballero andante de antaño, que rara vez tenía que vérselas sino con gigantes, encantadores, ardientes dragones y otros adversarios por el estilo, fáciles de vencer, y que sólo tenía que abrirse camino a través de puertas de hierro y bronce, así como de muros de diamante, para penetrar en la torre del castillo, donde tenían presa a la dama de su corazón; todo lo cual conseguía con la misma facilidad con que un hombre se abre camino con el cuchillo hasta el centro de una tarta de Navidad; y luego la dama, como era de esperar, le concedía su mano. Ichabod, por el contrario, tenía que ganarse el acceso al corazón de una coqueta de pueblo, asediado por un laberinto de caprichos y antojos, que siempre representaban impedimentos añadidos y nuevos obstáculos; y tenía que enfrentarse a una hueste de

---

35 *morillos*: caballetes de hierro que se ponen en el hogar o la chimenea de leña para apoyar los troncos.

adversarios de carne y hueso, la legión de rústicos admiradores que asediaban cada pórtico de su corazón, mientras se miraban unos a otros con recelo y hostilidad, pero siempre dispuestos a hacer causa común contra un nuevo competidor.

El más formidable de todos ellos era un galán fornido, alegre y juerguista, de nombre Abraham o, de acuerdo con la abreviatura holandesa, Brom Van Brunt, el héroe de toda la comarca, que se enfervorizaba con sus hazañas de fuerza y temeridad. Era de anchas espaldas y cuerpo ágil, pelo negro rizado y corto, y un semblante brusco aunque nada desagradable, pues tenía un aire entre simpático y arrogante. A causa de su constitución hercúlea y sus poderosos miembros recibía el sobrenombre de BROM BONES,[15] y por él lo conocía todo el mundo. Era famoso por sus conocimientos y habilidad como jinete, pues a lomos de un caballo era tan diestro como un tártaro. En las peleas de gallos y en las carreras siempre era el primero, y con la autoridad que le confería su fortaleza física era árbitro en todas las disputas: colocaba a un lado su sombrero y pronunciaba sus decisiones con un tono y un aire que no admitían protestas ni réplicas. Siempre estaba dispuesto lo mismo a una pelea que a una juerga, pero su naturaleza tenía más de traviesa que de malintencionada y, a pesar de toda su imponente rudeza, en el fondo era bastante jovial y guasón. Tenía tres o cuatro compañeros inseparables, que veían en él un modelo a seguir, y con los que merodeaba por toda la comarca y asistía al escenario de cualquier pelea o fiesta en kilómetros a la redonda. Con tiempo frío se le distinguía por un gorro de piel rematado con una ostentosa cola de zorro. Y cuando en alguna reunión campestre la concurrencia descubría a distancia esa cresta de todos conocida, pasando como un rayo en medio de un pelotón de jinetes a la carrera, siempre se apartaban a un lado en espera de alguna borrasca.[36] En ocasiones, a medianoche se oía pasar de largo a

---

36 *borrasca*: riña o discusión violenta.

15 Esto es, 'Brom Huesos'.

su cuadrilla a galope tendido, entre gritos y vítores, como una
tropa de cosacos del Don,[16] y las viejas, sobrecogidas en pleno
sueño, escuchaban un momento hasta que cesaba la algarabía y
luego exclamaban: «¡Ahí va Brom Bones y su pandilla!». Los
vecinos lo miraban con una mezcla de temor reverencial, admiración y aprecio, y cuando en el vecindario algún cabeza loca
gastaba una broma pesada o se producía alguna reyerta entre
mozos, siempre movían la cabeza en la convicción de que Brom
Bones era el instigador.

Este travieso héroe había convertido a la hermosa Katrina
en el objeto de su tosca galantería y, aunque sus jugueteos amorosos eran algo así como las suaves caricias y carantoñas de un
oso, se murmuraba sin embargo que ella no desalentaba del todo sus esperanzas. Ciertamente, sus avances constituían un aviso para la retirada de los candidatos rivales, que no tenían el
menor deseo de interponerse en los amoríos de un león: tanto
era así que, cuando las tardes de domingo se veía su caballo
atado a la empalizada de Van Tassel, señal inequívoca de que su
dueño estaba cortejándola o, como se suele decir, «pelando la
pava», los demás pretendientes pasaban de largo desesperados
y llevaban la guerra a otros cuarteles.

Tal era el formidable rival con quien había de vérselas Ichabod Crane y, en vista de las circunstancias, alguien más robusto
que él se habría retirado de la competición y alguien más sabio
habría perdido toda esperanza. Pero Ichabod era de natural
dúctil y perseverante a la vez; en cuerpo y espíritu era como el
bambú, flexible pero resistente; se doblaba, pero no se partía:
aunque se inclinaba bajo la más leve presión, en el momento en
que ésta cedía…, ¡zas!, volvía a estar tan tieso y con la cabeza
tan erguida como siempre.

Citar a su rival en campo abierto habría sido locura, pues
no era hombre que se dejara contrariar en sus amoríos un pun-

---

16 Se refiere a la caballería rusa establecida en la región del río Don, que era famosa por su carácter beligerante.

to más que Aquiles, aquel tormentoso amante.[17] Ichabod, por
tanto, hacía sus avances de un modo callado y educadamente
insinuante. Amparándose en su condición de maestro del coro,
realizaba frecuentes visitas a la granja, pues nada tenía que te-
mer por la intromisión de los padres, que tan a menudo representan un escollo en el camino de los enamorados. Balt Van
Tassel era de espíritu indulgente y tranquilo: amaba a su hija
incluso más que su propia pipa y, como hombre razonable y
excelente padre, le dejaba hacer lo que le apetecía. En cuanto a
su esposa, mujer notable aunque de poca estatura, tenía ya bastante con las tareas del hogar y con atender el corral, porque,
como ella decía sabiamente, patos y gansos son seres estúpidos
que necesitan cuidados, pero las jovencitas pueden cuidarse
por sí solas. Así que, mientras la esposa se movía ajetreada por
la casa, o hilaba en la rueca en una esquina del porche, en la
otra el honrado Balt se sentaba a fumar su pipa de la tarde,
contemplando las hazañas de un pequeño guerrero de madera
que, armado con una espada en cada mano, luchaba con toda
valentía contra el viento en el pináculo[37] del granero. Entretan-
to, Ichabod cortejaba a la hija junto al manantial, bajo el gran
olmo, o de paseo en el crepúsculo, esa hora tan favorable para
la elocuencia del enamorado.

Confieso desconocer cómo se corteja y se gana el corazón
de las mujeres. Para mí siempre han sido motivo de desconcier-
to y admiración. Algunas parecen tener un solo punto vulnera-
ble, o puerta de acceso; mientras que otras tienen miles de ave-
nidas y pueden asaltarse de mil formas distintas. Gran destreza
es ganarse a las primeras, pero todavía mayor prueba de habili-

---

37 *pináculo*: remate apuntado en la parte más alta de un edificio.

17 Aquiles fue el más grande de los héroes griegos que participaron en la guerra de
    Troya, según relata la *Ilíada* de Homero. Tras serle arrebatada su amada Brisei-
    da por el rey Agamenón, Aquiles montó en cólera y se negó a continuar parti-
    cipando, con su ejército de mirmidones, en la guerra contra los troyanos, lo
    que dejó en clara desventaja a sus compatriotas griegos y les acarreó funestas
    consecuencias.

dad estratégica es mantener la posesión de las segundas, pues el hombre debe defender su fortín en todas las puertas y ventanas. Así, aquél que conquista mil corazones corrientes merece alguna fama, pero quien mantiene un dominio indiscutible sobre el corazón de una coqueta es un verdadero héroe. No era ése, ciertamente, el caso del temible Brom Bones, y desde el momento en que Ichabod Crane comenzó sus avances, los intereses del primero declinaron de manera evidente: no se volvió a ver su caballo atado a la valla las tardes de domingo, y una enemistad mortal creció entre él y el preceptor de Sleepy Hollow.

Brom, que algo tenía de caballero andante, de buena gana habría llevado el asunto a la guerra abierta, para dirimir sus pretensiones hacia la dama al estilo de los muy sencillos y razonables caballeros de antaño, es decir, en combate singular;[18] pero Ichabod era demasiado consciente de la superioridad de su adversario para entrar en liza[38] con él: había oído a Bones fanfarronear que «iba a doblar en dos al maestro para luego ponerlo en un estante de su propia escuela», y andaba con mucha cautela para no darle una oportunidad de hacerlo. En ese sistema obstinadamente pacífico había algo que resultaba en extremo provocador: a Brom no le quedaba más alternativa que recurrir a la reserva de socarronería rústica que albergaba en su carácter para gastarle bromas zafias a su rival. Ichabod se convirtió en objeto de la persecución arbitraria de Bones y su banda de ruidosos jinetes. Asolaron sus hasta entonces pacíficos dominios; tapaban la chimenea y le llenaban de humo la clase de canto; entraban por la noche en la escuela, a pesar de los formidables cerrojos de mimbre y los postigos de las ventanas, y lo ponían todo patas arriba, de forma que el pobre maestro llegó a pensar que todas las brujas de la comarca se reunían allí

---

38 *liza*: palestra, campo preparado para el combate entre dos caballeros; la expresión *entrar en liza* equivale, pues, a 'intervenir en una lucha'.

18 En la literatura épica y caballeresca, a veces se decidía la suerte de una batalla mediante un *combate singular*, que enfrentaba solo a los dos guerreros más valiosos de cada uno de los ejércitos.

para celebrar sus aquelarres. Pero lo que más le molestaba era que Brom aprovechase cualquier oportunidad para ridiculizarle delante de su dama: con ese propósito, Brom enseñó al desvergonzado de su perro a aullar de la forma más ridícula, y luego se lo presentó a Katrina como competidor de Ichabod para instruirla en el canto.

De ese modo continuaron las cosas cierto tiempo, sin que se produjera cambio alguno en la situación relativa de los dos contendientes. Una hermosa tarde de otoño, Ichabod estaba encaramado con ánimo pensativo en el taburete alto desde donde acostumbraba a vigilar todos los asuntos de su pequeño reino de las letras. En su mano tenía una férula,[39] el cetro de su poder despótico; tras el trono, la vara de la justicia descansaba horizontal sobre tres clavos en la pared, un constante aviso para maleantes, mientras que sobre el pupitre frente a él podían verse diversos artículos de contrabando y armas prohibidas descubiertas en poder de pilluelos ociosos, tales como manzanas medio mordidas, pistolas de juguete, molinetes, jaulas para moscas y legiones enteras de rampantes gallitos de pelea hechos de papel. Parecía que se acababa de ejecutar algún terrible acto de justicia, pues los alumnos estaban todos muy concentrados en sus libros, o murmuraban, ocultos tras ellos, con sigilo y un ojo puesto en el maestro; una especie de susurrante quietud parecía reinar en el aula. De pronto, la calma fue interrumpida por la aparición de un hombre negro que, ataviado con chaqueta y pantalones de paño basto y el guiñapo de un sombrero de copa redonda (como el casco alado de Mercurio),[19] montaba a lomos de un jamelgo cerril y medio derrengado al que manejaba con una cuerda a modo de ronzal. El hombre se acercó chacolo-

---

39 *férula*: palmeta, utensilio con que los maestros castigaban a los alumnos.

19 En la mitología romana, Mercurio era el mensajero de los dioses y dispensador de riquezas. Se le representaba como un hermoso joven tocado con un *pétaso* o sombrero de viaje, sandalias de oro y un cayado. Más adelante, estas tres prendas fueron dotadas de alas. Debe señalarse, por otra parte, que la esclavitud fue legal en el estado de Nueva York hasta comienzos del siglo XIX.

teando[40] hasta la puerta de la escuela y le entregó a Ichabod
una invitación para que asistiera a una fiesta o «merienda campestre», que se iba a celebrar por la tarde en casa de los señores
de Van Tassel. Y, tras entregar el mensaje con los aires de importancia y el esfuerzo por hablar bien que un negro es capaz
de mostrar en pequeñas embajadas de tal calibre, cruzó deprisa
el arroyo y se le vio alejarse a la carrera por el valle, henchido
de la importancia y premura de su misión.

Todo fue entonces bullicio y alboroto en la antes tranquila
escuela. Los alumnos fueron obligados a leer la lección a toda
prisa, sin detenerse en minucias: los más ágiles se saltaban la
mitad con toda impunidad y los más tardos recibían de vez en
cuando un agudo correctivo en el trasero para acelerar su paso
o ayudarles con alguna palabra difícil. Se dejaron los libros de
cualquier modo, sin devolverlos a los estantes, se derramaron
tinteros, se volcaron bancos, y, una hora antes de lo habitual, la
escuela entera salió en tropel como una legión de diablillos, entre gritos y carreras por el prado, muy contentos de su tempra-
na emancipación.

El galante Ichabod dedicó entonces a su aseo más de media
hora, ordenando y cepillando su mejor y, en verdad, único traje,
de herrumbroso color negro, y acicalándose[41] frente a un trozo
de espejo roto que colgaba en la pared de la escuela. Para poder
presentarse ante su dama al verdadero estilo de los caballeros,
pidió prestado un rocín al granjero con el que residía, un viejo
holandés colérico llamado Hans Van Ripper, y así partió, gallar-
do jinete, como caballero andante en busca de aventuras. Resulta obligado que, fiel al estilo de las historias románticas, dé algunos detalles del aspecto y el equipamiento de mi héroe y su
corcel. El animal que le servía de montura era un percherón[42] de
desecho que había sobrevivido a casi todo, excepto a sus pro-

---

40 *chacolotear*: ruido que hace una herradura por estar poco sujeta.
41 *acicalarse*: arreglarse o adornarse mucho.
42 *percherón*: caballo muy corpulento que se utiliza para arrastrar grandes pesos.

pios resabios.[43] Era flaco y desmelenado, cuellicorto y con testera[44] de martillo; la cola y las crines tenía del color del almagre,[45] todas enredadas en espesas marañas; uno de sus ojos había perdido la pupila y miraba extraviado y espectral, pero el otro mostraba el brillo de un genuino diablo. Con todo, en su día debió de tener chispa y brío, o eso al menos cabía deducir de su nombre, Pólvora. De hecho, había sido el caballo preferido de su amo, el muy colérico Van Ripper, que era jinete de temperamento, y, muy probablemente, algo le había contagiado al animal de su carácter, ya que, viejo y desahuciado como parecía, había en él más de demonio agazapado que en cualquier potra de los contornos.

Ichabod era una figura apropiada para semejante corcel. Montaba con estribo corto, por lo que las rodillas le llegaban casi hasta la perilla de la montura; sus codos puntiagudos sobresalían como los de un saltamontes; llevaba la fusta perpendicular en la mano, como un cetro, y, con el trote del caballo, el movimiento de los brazos no se diferenciaba mucho de un aleteo. Un gorro de lana pequeño descansaba sobre el nacimiento de la nariz (pues así podría llamarse la exigua franja de su frente), y los faldones del abrigo negro ondeaban casi hasta la cola del animal. Tal era el aspecto que ofrecían Ichabod y su montura cuando salieron renqueando de la granja de Hans Van Ripper, y, desde luego, apariciones así muy rara vez se encuentran a plena luz del día.

Era, como ya he dicho, una hermosa tarde de otoño y la naturaleza lucía ese manto rico y dorado que siempre asociamos con la idea de abundancia. Los bosques se habían revestido de sobrios ocres y amarillos, mientras que algunos árboles más delicados habían adquirido con la helada brillantes tonos naranjas, morados y escarlatas. Fluidas hileras de patos salvajes

---

43 *resabio*: vicio o mala costumbre.
44 *testera*: parte anterior y superior de la cabeza de un animal.
45 *almagre*: óxido rojo de hierro.

comenzaban a aparecer en las alturas; la llamada de la ardilla podía oírse desde los hayedos y los noguerales, y desde el rastrojal cercano llegaba a intervalos el cuchichiar de la perdiz. Los pajarillos celebraban sus banquetes de despedida. En la plenitud del jolgorio revoloteaban con divertidos gorgoritos de un matorral a otro, de un árbol a otro, caprichosos ante la abundancia y variedad que los rodeaba. Allí estaba el honesto petirrojo, pieza preferida de los cazadores inexpertos, con su canto quejumbroso y sonoro; y los mirlos que, entre gorjeos, volaban formando nubes negras; y el pájaro carpintero de alas doradas, con su cresta carmesí, un generoso collar negro y un espléndido plumaje; y el ampelis de los cedros, con su remate de rojo en las alas y de amarillo en la cola, y su pequeño penacho de plumas; y el arrendajo, ese fatuo[46] parlanchín, con abrigo de vistoso azul cielo y camisa blanca, que chillaba y piaba, asentía y hacía reverencias todo el tiempo, aparentando llevarse bien con todas las aves canoras[47] del bosque.

Mientras Ichabod hacía el camino con paso tranquilo, su vista, siempre atenta a cualquier signo de abundancia culinaria, se deleitaba con los tesoros del radiante otoño. Por todas partes veía inmensas provisiones de manzanas: algunas colgaban con grávida opulencia[48] de los árboles; otras estaban recogidas en cestos y cajones para el mercado; otras, apiladas en generosos montones, listas para hacer sidra. Un poco más allá contempló extensos maizales de mazorcas doradas que asomaban bajo su abrigo de hojas, promesa inequívoca de pasteles y pastas; y también las amarillas calabazas que crecían al pie del maíz, con sus hermosos vientres dorados vueltos al sol, fundada esperanza de las más suculentas tartas; pasó luego junto a los fragantes campos de alforfón, que exhalaban perfumes de colmena, y, al contemplarlos, su imaginación se vio invadida por dulces imá-

---

46 *fatuo*: engreído.
47 *canoras*: que cantan.
48 *grávida*: pesada; *opulencia*: abundancia, riqueza.

genes de tortas exquisitas, generosamente aderezadas con mantequilla y miel, o acaso melaza, por la manita regordeta de Katrina Van Tassel.

Con la mente así ocupada en dulces pensamientos y «almibaradas suposiciones» recorrió las faldas de una hilera de colinas que se asoman a algunos de los escenarios más hermosos del imponente Hudson. De forma gradual el sol hizo rodar su amplio disco hacia el oeste. El ancho cauce del Tappan Zee permanecía inmóvil y brillante, salvo por alguna leve ondulación que, aquí y allá, prolongaba el reflejo de la lejana montaña. Nubes de ámbar flotaban en el cielo sin un soplo de aire que las moviera. El horizonte tenía un delicado tinte dorado que poco a poco se tornaba puro verde manzana, y de ahí pasaba al azul profundo del meridiano celeste. Un rayo oblicuo se demoraba en las crestas arboladas de los precipicios que en algunas partes se asomaban al río, dando mayor intensidad al gris oscuro y al violeta de sus laderas rocosas. Un balandro flotaba ocioso en la distancia, llevado lentamente por la marea y con su vela colgando inútil del mástil, y, al reverberar el reflejo del cielo sobre el agua en calma, parecía como si el barco estuviera suspendido en el aire.

Ya casi había atardecido cuando Ichabod llegó al baluarte[49] de Heer Van Tassel, que encontró abarrotado con la flor y nata de la comarca: viejos granjeros, una sobria raza de rostros curtidos, ataviados con zaragüelles y tabardos[50] de paño casero, medias azules, enormes zapatos y generosas hebillas de peltre; sus señoras, avellanadas y menudas, aunque muy vivaces, con cofias muy fruncidas, sayas de amplia cintura, enaguas de tela rústica, con tijeras y acericos, y con alegres faltriqueras de percal[51] colgadas del talle; mozas rollizas, tan anticuadas casi como sus madres, excepto por un sombrero de paja, un lazo fino, o acaso un vestido blanco, que eran síntomas innovadores de la

---

49 *baluarte*: 'fortaleza', 'recinto amurallado'; en el texto tiene un uso metafórico.
50 *zaragüelles*: pantalones anchos; *tabardo*: prenda de abrigo ancha y larga.
51 *acerico*: almohadilla donde se clavan los alfileres; *faltriquera*: bolsa que se lleva atada con unas cintas a la cintura; *percal*: tela corriente de algodón.

ciudad; los hijos, con casacas adornadas con hileras de vistosos botones dorados y el pelo recogido en una coleta según la moda de los tiempos, sobre todo si podían conseguir para tal fin una piel de anguila, considerada en todas partes un poderoso nutriente y fortalecedor del cabello.

Brom Bones era, sin embargo, el héroe de la escena. Había acudido a la fiesta a lomos de su corcel preferido, Intrépido, una criatura, como él mismo, llena de brío y picardía, y que sólo él conseguía dominar. De hecho, Brom era famoso por su afición a los animales resabiados, dados a triquiñuelas de toda clase, que ponían en constante peligro el pescuezo del jinete, pues sostenía que un caballo bien domado era indigno de un joven con agallas.

De buen grado me explayaría sobre el universo de deleites que se desplegó ante la vista embelesada de mi héroe cuando entró en el salón principal de la mansión de los Van Tassel. Y no me refiero al corrillo de muchachas lozanas, con su fastuoso alarde de rojos y blancos, sino a las incontables delicias que colman una genuina y rústica mesa holandesa durante la esplendorosa estación otoñal. ¡Eran tantas las bandejas apiladas con dulces de variedades casi indescriptibles, conocidas tan solo por las expertas matronas holandesas! Había esponjosas rosquillas, tiernos hojaldres y crujientes canutillos, tortas de miel y de jengibre, pastas y pasteles de todas clases. Y luego había tartas de manzana, de melocotón, de calabaza, junto a lonchas de jamón y carne ahumada, además de deliciosas fuentes con ciruelas, melocotones, peras y membrillos confitados, por no mencionar los pescados a la parrilla y los pollos asados, junto a cuencos de leche y nata, todo ello mezclado a la buena de Dios, más o menos como los he enumerado, y rodeando la maternal tetera que despedía nubes de vapor... ¡Que el Cielo me perdone!, pero me falta tiempo y aliento para hablar como se merece de tal banquete, y estoy impaciente por continuar mi relato. Felizmente, Ichabod Crane no tenía tanta prisa como su historiador y le hizo los honores a todos los manjares.

Ichabod era criatura amable y agradecida, cuyo corazón se dilataba a medida que su pellejo se llenaba de buenas viandas, y cuyo ánimo se elevaba con la comida igual que el de otros hombres con la bebida. Mientras comía, no pudo evitar examinar con sus grandes ojos negros cuanto le rodeaba, ni sonreír para sus adentros ante la posibilidad de que algún día él fuese señor de toda esa escena casi inimaginable de lujo y esplendor. En tal caso, pensaba, volvería enseguida la espalda a la vieja escuela, le haría la higa[52] al mismo Hans Van Ripper y a todos los roñosos patrones que le proporcionaban albergue, y echaría a patadas a cualquier pedagogo ambulante que se atreviera a llamarle colega.

El viejo Baltus Van Tassel se movía entre sus huéspedes con el rostro rebosante de alegría y buen humor, redondo y jovial como la luna de agosto. Sus gestos hospitalarios eran escuetos pero expresivos: se limitaban a un apretón de manos, una palmada en la espalda o una risotada y una invitación apremiante a que «se acercaran y se sirvieran a placer».

Y entonces la música en la sala de estar, o salón, convocó al baile. El músico era un viejo negro de pelo cano que, durante más de medio siglo, había sido la orquesta ambulante de la vecindad. Su instrumento estaba tan desvencijado como él mismo. Casi todo el tiempo tocaba dos o tres cuerdas y acompañaba cada movimiento del arco con la cabeza, inclinándose casi hasta el suelo y golpeando con el pie cada vez que una nueva pareja se disponía a empezar.

Ichabod se enorgullecía tanto de su forma de bailar como de sus cuerdas vocales. Ni un miembro, ni una fibra de su ser permanecía inactiva, y al ver su desgarbada figura toda en movimiento, zapateando de un lado a otro de la sala, uno se sentía inclinado a pensar que se había aparecido en persona el mismo san Vito, patrón del baile.[20] Era la admiración de todos los ne-

---

52 *hacer la higa*: burlarse de alguien o despreciarlo haciendo un gesto consistente en sacar el pulgar entre el índice y el medio, teniendo el puño cerrado.

20 A san Vito se lo invoca para sanar a quienes padecen de *corea* o *baile de san Vito*, enfermedad caracterizada por movimientos involuntarios y rápidos del cuerpo.

gros de la granja y alrededor que, de todas las edades y tallas,
se habían congregado para asomarse por puertas y ventanas,
formando una pirámide de brillantes caras negras que miraban
con regocijo la escena, mientras ponían los ojos en blanco y
mostraban hileras de marfil en sus sonrisas de oreja a oreja.
¿Cómo iba a sentirse ahora el flagelador[53] de pillastres, sino ani-
mado y contento? La dama de su corazón era su pareja de baile
y sonreía graciosamente en respuesta a todos sus amorosos guiños, mientras Brom Bones, muy reconcomido[54] de amor y celos, permanecía sentado en un rincón, solo y pensativo.

Cuando el baile tocó a su fin, Ichabod se sintió atraído hacia
un extremo del porche, donde los paisanos más sabios fuma-
ban sentados junto al viejo Van Tassel, charlando de tiempos
pasados y contando largos relatos sobre la guerra.

En los tiempos de los que estoy hablando, la comarca era
uno de esos lugares generosamente favorecidos por la abundancia de crónicas y grandes hombres. El frente de combate
entre norteamericanos y británicos había estado cerca durante
la guerra, por lo que la zona había sido frecuentada por mero-
deadores y se había visto infestada de refugiados, guerrilleros y
aventureros de toda clase.[21] Había pasado ya tiempo suficiente
para que cada narrador pudiera aderezar su relato con un poco
de fantasía y, en la bruma del recuerdo, convertirse él mismo en
héroe de todas las hazañas.

Estaba la historia de Doffue Martling, un holandés grandote
y de barba azulada, que estuvo a punto de apoderarse de una
fragata británica con un viejo cañón del nueve desde un para-
peto de tierra, sólo que el cañón reventó a la sexta descarga. Y
hubo un anciano hidalgo, al que no nombraremos por ser un
holandés demasiado rico para mencionarlo a la ligera, maestro

---

53 *flagelador*: azotador, castigador.
54 *reconcomerse*: rabiar, sentir un oculto e intenso descontento por celos o envidia.

21 Durante la guerra de la Independencia norteamericana, la comarca de Tarrytown se vio con frecuencia atacada por guerrillas de partisanos británicos, conocidos popularmente como "cow boys".

consumado en artes defensivas, que en la batalla de White
Plains[22] detuvo una bala de mosquete con una pequeña espada,
hasta el punto de sentirla silbar junto a la hoja y rebotar en la
empuñadura, en prueba de lo cual siempre estaba dispuesto a
mostrar la espada con el puño un poco torcido. Otros se habían
comportado con igual grandeza en el campo de batalla, y todos
estaban convencidos de haber contribuido de manera notable a
llevar la guerra a feliz término. Pero todas esas historias no podían compararse con los cuentos de fantasmas y apariciones que siguieron. La comarca es rica en tesoros legendarios de esa clase. En esos apartados refugios largamente habitados es donde mejor florecen leyendas y supersticiones, aunque se vean pisoteadas por la muchedumbre ambulante que conforma la población de la mayoría de nuestras áreas rurales. Además, en casi ninguno de nuestros pueblos encuentran los fantasmas estímulo alguno, pues apenas han tenido tiempo de dar su primera cabezada y revolverse en la tumba cuando los amigos que les han sobrevivido ya se han marchado de la comarca; así que, al salir de correría por la noche, no tienen conocidos a los que visitar. Quizá sea esa la razón de que muy rara vez oigamos historias de fantasmas, excepto en nuestras comunidades holandesas más tradicionales.

No obstante, la causa más inmediata de la proliferación de historias sobrenaturales en esa comarca se debía sin duda a la vecindad de Sleepy Hollow. El aire mismo que soplaba desde esa región encantada era contagioso: emanaba de una atmósfera de sueños y quimeras que infestaba toda la tierra. Algunos vecinos del valle estaban presentes en la fiesta de Van Tassel y, como de costumbre, fueron desgranando sus leyendas maravillosas y terribles. Se narraron muchos cuentos lúgubres sobre cortejos fúnebres, sobre gemidos y llantos de dolor vistos y oídos junto al gran árbol donde fue capturado el desdichado co-

---

22 En 1776 el general británico William Howe derrotó a George Washington en la
   batalla de White Plains, cerca de la ciudad de Nueva York.

mandante André.[23] Alguna mención se hizo también de la mujer de blanco que se aparecía en la oscura cañada junto a la Peña del Cuervo, a quien a menudo se oía chillar en las noches invernales antes de una tormenta, pues había muerto allí en la nieve.

La mayor parte de las historias, sin embargo, versaban sobre el espectro preferido de Sleepy Hollow, el Jinete sin Cabeza, al que últimamente se le había oído varias veces patrullar por la comarca: se decía que por la noche ataba su caballo entre las tumbas del cementerio de la iglesia.

La situación aislada de esa ermita parece haberla convertido desde siempre en lugar predilecto de los espíritus atormentados. Se alza sobre una loma, rodeada de algarrobos y altos olmos, entre los que brillan con modestia unos muros decentemente encalados, como la pureza cristiana, radiante entre las sombras del retiro. Una suave ladera desciende hasta una sábana plateada de agua, bordeada por grandes árboles, entre los que pueden atisbarse algunas vistas de las colinas del Hudson. Al contemplar el cementerio cubierto de hierba, donde los rayos de sol parecen dormir tan apacibles, uno se siente inclinado a pensar que allí al menos los muertos podrían descansar en paz. A un lado de la ermita se extiende un ancho vallecito poblado de árboles, por el que corretea entre rocas quebradas y troncos caídos un arroyo caudaloso. Sobre un tramo oscuro y profundo del torrente se tendió en otro tiempo un puente de madera: el camino que conducía a él y el puente mismo se hallaban bajo la espesa sombra de los árboles colindantes que, incluso a la luz del día, proyectaban un halo de tristeza, pero, en plena noche, producían una espantosa oscuridad. Ese era uno de los lugares preferidos del Jinete sin Cabeza y donde más a menudo se le veía. Se contó la historia del viejo Brouwer, un incrédulo de lo más herético en cuestión de fantasmas, que se en-

---

23 Se refiere a John André (1751-1780), espía británico arrestado en Tarrytown y posteriormente ejecutado. Llevaba consigo documentos que probaban la traición de Benedict Arnold, soldado del ejército colonial que desertó con los ingleses y cuyo nombre se ha convertido en Estados Unidos en sinónimo de traidor.

contró al jinete de regreso de sus correrías por Sleepy Hollow y se vio obligado a montar a la grupa de su caballo para galopar entre arbustos y matorrales, por colinas y pantanos, hasta que llegaron al puente, donde el jinete se convirtió de pronto en esqueleto, arrojó al viejo Brouwer al arroyo y, de un brinco, se alejó sobre las copas de los árboles en medio de un trueno.

Esta historia fue de inmediato correspondida por una aventura triplemente maravillosa de Brom Bones, que ponía en entredicho que el Mercenario Galopante fuera un jinete consumado. Brom afirmó que, al regresar una noche desde la vecina aldea de Sing Sing,²⁴ ese soldado de la medianoche le adelantó; entonces Brom se apostó con él un cuenco de ponche a que le superaba en una carrera…, que a buen seguro habría ganado, ya que Intrépido fue delante del duende equino por todo el valle; pero, al alcanzar el puente de la ermita, el mercenario dio un brinco y se desvaneció en un resplandor de fuego.

Todas esas historias, contadas en el tono somnoliento con que los hombres hablan en la oscuridad (tan sólo interrumpida por el destello ocasional que las cachimbas⁵⁵ arrojan sobre el semblante de los que escuchan), causaron profunda impresión en la imaginación de Ichabod. El maestro les pagó con la misma moneda al relatarles amplios extractos de su admirado autor, Cotton Mather, a los que añadió numerosos sucesos en verdad fantásticos que habían acontecido en su estado natal de Connecticut, además de espantosas visiones que él mismo había tenido en sus paseos nocturnos por Sleepy Hollow.

Poco a poco comenzó a disolverse la fiesta. Los viejos granjeros reunieron a sus familias en las carretas y durante un rato se les oyó traquetear por los encajonados caminos y las distantes colinas. Algunas damiselas montaban a la grupa con sus

---

55 *cachimba*: pipa.

24 Sing Sing es una poblacion situada al sudeste del estado de Nueva York y a orillas del Hudson que en la actualidad se denomina Ossining, topónimo que sustituyó al de Sing Sing (derivado de la tribu india Sin Sinck) para evitar la identificación del pueblo con el penal del mismo nombre que se construyó allí en 1824.

pretendientes predilectos, y el eco de sus risas despreocupadas, mezcladas con el chacolotear de los cascos, fue recorriendo los callados bosques y debilitándose cada vez más hasta que al fin se apagó..., y la algarabía de la fiesta se trocó entonces en solitario silencio. Sólo Ichabod se demoró, siguiendo la costumbre de los enamorados rurales, para mantener una conversación íntima con la heredera, del todo convencido de encontrarse ahora en la segura senda de la gloria. No pretendo contar lo que en ese encuentro se dijo, porque de hecho lo ignoro. Me temo, sin embargo, que algo debió de ir mal, porque desde luego él se puso en camino al poco, con aire bastante desolado y abatido. ¡Ay mujeres, mujeres! ¿Podría ser que esa muchacha hubiera puesto en juego uno de sus trucos de coqueta?... ¿Eran quizá las esperanzas que había dado al pobre pedagogo un mero engaño para asegurarse la conquista de su rival?... ¡Sólo el Cielo lo sabe, pues yo no!... Baste decir que Ichabod ahuecó el ala con el aspecto de quien ha estado asediando un gallinero, más que el corazón de una hermosa dama. Sin volver la vista a derecha o izquierda para admirar la abundancia campestre en la que tan a menudo se había recreado, se fue derecho al establo y, a fuerza de patadas y puñetazos, levantó a su caballo de modo muy poco ceremonioso del cómodo aposento en el que dormía profundamente, soñando con montañas de avena y maíz, y valles enteros de alfalfa y trébol.

Era la hora embrujada de la noche[25] cuando Ichabod, acongojado y cabizbajo, emprendió el regreso a casa por las laderas de las altas colinas que se alzan sobre Tarrytown y que con tanta alegría había atravesado por la tarde. La hora era tan sombría como su ánimo. Muy lejos, a sus pies, el Tappan Zee derramaba su oscuro y nebuloso caudal de agua, mientras aquí y allá el mástil esbelto de un balandro fondeado flotaba en calma bajo las colinas. En el silencio sepulcral de la medianoche, Ichabod podía oír incluso el ladrido del perro guardián en la orilla

---

25 Cita de la obra de William Shakespeare, *Hamlet* (III.II.362).

opuesta del Hudson, pero era tan débil e indefinido que sólo daba una vaga idea de la distancia a la que se hallaba aquel fiel compañero del hombre. De vez en cuando, también el canto de un gallo despierto por casualidad se oía a lo lejos, muy lejos, en alguna granja allá entre los montes..., pero a sus oídos resultaba un sonido de ensueño. No había cerca señales de vida, salvo el chirrido melancólico de algún grillo, o quizá el croar gutural de una rana en la cercana marisma, como si durmiera incómoda y se diera de pronto la vuelta en su lecho.

Todas las historias de duendes y fantasmas que Ichabod había escuchado durante la velada se le agolparon ahora en el recuerdo. La noche se tornaba más y más oscura: las estrellas parecían hundirse en la profundidad del firmamento y, de cuando en cuando, veloces nubes se las ocultaban a la vista. Nunca se había sentido tan solo y desamparado. Además, se estaba acercando al mismísimo lugar donde habían situado el escenario de muchos de aquellos relatos de apariciones. En el centro del camino crecía un magnolio enorme que descollaba como un gigante sobre los árboles del entorno y que formaba una especie de hito.[56] Sus ramas nudosas y fantásticas, lo bastante grandes para ser troncos de árboles comunes, se retorcían hasta casi tocar el suelo para luego elevarse de nuevo. El magnolio se asociaba con la trágica historia del desdichado André, que fue hecho prisionero cerca de allí, y todo el mundo lo conocía como el árbol del comandante André. La gente corriente lo miraba con una mezcla de superstición y respeto, en parte por compasión hacia el desventurado destino del comandante, y en parte por los cuentos de visiones extrañas y lamentos fúnebres que se contaban sobre el árbol.

Mientras se aproximaba a ese árbol terrible, Ichabod comenzó a silbar. Creyó que su silbido obtenía respuesta..., pero sólo era una ráfaga sibilante entre las ramas resecas. Al acercarse más creyó ver algo blanco que colgaba en medio del árbol...,

---

56 *hito*: mojón, señal de piedra que se pone para marcar la dirección de un camino.

se detuvo y dejó de silbar, pero al fijarse mejor se dio cuenta que era el sitio por donde un rayo había hendido el tronco, y la madera blanca había quedado al desnudo. De pronto escuchó un gemido...: los dientes le empezaron a castañetear y las rodillas, al temblar, golpeaban contra la silla..., pero era sólo una rama enorme que rozaba contra otra al ser mecidas ambas por la brisa. Sano y salvo, Ichabod dejó atrás el árbol; pero nuevos peligros le aguardaban...

A unos doscientos metros del árbol, un arroyuelo cruzaba el camino y se adentraba en una cañada pantanosa y de vegetación espesa, conocida como el pantano de Wiley. Unos cuantos troncos, dispuestos toscamente uno junto a otro, servían de puente. En la orilla del camino donde el agua penetraba en el bosque, un grupo de nogales y robles, cubiertos por una espesa maraña de parras silvestres, proyectaba una penumbra cavernosa. Cruzar el puente era la prueba más ardua. En ese mismo lugar fue capturado André, y, ocultos bajo aquellos nogales y parras, se escondían los robustos campesinos que le sorprendieron. Desde entonces siempre se le ha considerado un arroyo encantado, y pavorosos son los sentimientos del colegial que lo tiene que cruzar en solitario después del anochecer.

Mientras Ichabod se acercaba al arroyo, su corazón empezó a latir con fuerza: hizo acopio, sin embargo, de todo su valor, azuzó los flancos del caballo e intentó cruzar el puente a la carrera. Pero en vez de lanzarse hacia delante, el perverso animal hizo un extraño movimiento lateral y chocó de costado contra la valla. Ichabod, cuyos temores fueron en aumento por el retraso, tiró de las riendas hacia el otro lado y, con el pie contrario, lo aguijó con fuerza. Todo fue en vano: el rocín arrancó, es cierto, pero sólo para lanzarse hacia la orilla opuesta del camino, contra una espesura de zarzas y espinos. El maestro aplicó entonces fusta y talón sobre las famélicas costillas del viejo Pólvora, que salió a la carrera, resollando y resoplando, aunque al poco se plantó a la entrada del puente de modo tan brusco que casi lanza al jinete por encima de su cabeza. En ese mismo ins-

tante un chapoteo junto al puente alcanzó el sensible oído de Ichabod. En la profunda oscuridad del soto que había junto al arroyo atisbó algo muy grande, informe, negro e imponente. No se movía, pero parecía agazapado en la penumbra, como un monstruo gigantesco a punto de abalanzarse sobre el viajero. De puro miedo el cabello se le erizó al espantado pedagogo. ¿Qué debería hacer? Era ya tarde para darse la vuelta y emprender la retirada. Y además, ¿qué posibilidades tenía de escapar de duende o fantasma, si tal era, que podía cabalgar en alas del viento? Así que, haciendo de tripas corazón, preguntó tartamudeante:

—¿Quién eres?

No hubo respuesta. Repitió la pregunta con voz aún más agitada. Tampoco hubo respuesta. Una vez más castigó los flancos del inflexible Pólvora y, cerrando los ojos, comenzó a entonar un salmo con involuntario fervor. Justo entonces el espectral objeto que le alarmaba se puso en movimiento y, con una carrera y un salto, se plantó de pronto en medio del camino. Aunque la noche era sombría y oscura, la forma del desconocido podía ya discernirse. Parecía un jinete de grandes dimensiones, a lomos de un caballo negro de poderosa figura. El jinete no hizo intento alguno de entablar conversación con él o de importunarle, sino que se mantuvo silencioso a un lado del sendero, cabalgando a su mismo paso por el flanco tuerto del viejo Pólvora, que ya se había recuperado del susto y del arrebato de terquedad.

Ichabod, que no disfrutaba precisamente con esa extraña compañía nocturna y se acordaba de la aventura de Brom Bones con el Mercenario Galopante, aguijó entonces su caballo, con la esperanza de dejar atrás al jinete. El desconocido, sin embargo, puso el suyo al mismo trote. Ichabod frenó y volvió al paso, con idea de quedarse rezagado…, el otro hizo lo mismo. El maestro empezó a descorazonarse: se esforzó por reanudar el salmo, pero la lengua reseca se le pegaba al paladar y era incapaz de proferir una nota. Había algo misterioso y aterrador en el silencio

obstinado y tozudo de su pertinaz acompañante. Enseguida encontró una explicación terrible. Al subir una pendiente, el perfil de su compañero de camino se destacó contra el cielo: una figura de altura gigantesca, envuelta en una capa, que le inundó de espanto cuando comprobó… ¡que no tenía cabeza! Pero su horror se acrecentó aún más al observar cómo la cabeza, que debería descansar sobre los hombros, la llevaba colocada sobre el pomo de la silla; el horror se tornó entonces en desesperación: descargó una tanda de puñetazos y patadas sobre Pólvora, con la esperanza de darle esquinazo a su compañero con una súbita galopada…, pero el espectro arrancó con él. Así pues, se lanzaron a la carrera por bosque y llano; con cada galope volaban piedras y saltaban chispas. Las ropas holgadas de Ichabod flameaban al viento cada vez que, en el ímpetu de la huida, estiraba su cuerpo desmadejado sobre la cabeza del caballo.

Alcanzaron por fin el camino que se desvía a Sleepy Hollow, pero Pólvora, como poseído por un demonio, en vez de seguirlo hizo un giro contrario hacia la izquierda y se lanzó cuesta abajo a tumba abierta. Ese camino se extiende casi un kilómetro por una hondonada arenosa a la sombra de árboles y cruza luego el famoso puente de la historia de duendes: justo después se encuentra el verde montículo sobre el que se alza la ermita blanca.

Hasta entonces, el pánico del rocín le había dado una ventaja aparente en la carrera a su inexperto jinete, pero a medio camino de la hondonada cedieron las cinchas de la silla e Ichabod sintió cómo ésta se escurría bajo sus posaderas. La agarró por la perilla y se afanó en sujetarla firme, pero todo fue en vano: apenas tuvo tiempo de salvarse abrazándose al cuello del viejo Pólvora antes de que la silla cayera al suelo y pudiera oír cómo su perseguidor la pisoteaba al pasarle por encima. Por un instante cruzó por su mente el terror a la ira de Hans Van Ripper, pues se trataba de la silla de los domingos; pero no era ése momento de preocupaciones vanas: el duende le estaba pisando los talones y, jinete bisoño como era, bastante tenía con mantenerse encima de su montura: a veces se resbalaba por un costado del caballo, a veces por el otro, y a veces caía sobre el hueso del espinazo con tal violencia que de verdad temía partirse en dos mitades. Un claro entre árboles le animó entonces con la esperanza de que el puente de la iglesia estaba a mano. El reflejo tembloroso de una estrella plateada en el seno del arroyo le dio a entender que no estaba equivocado. Más allá vio las paredes de la ermita que brillaban débilmente bajo los árboles. Recordó el lugar donde el competidor fantasma de Brom Bones había desaparecido. «Si consigo llegar al puente», pensó Ichabod, «estoy salvado».[26] En ese preciso momento oyó el resuello y el resoplido del corcel negro justo detrás de él; le pareció incluso percibir su tibio aliento. Otro puntapié compulsivo en las costillas y el viejo Pólvora saltó al puente: atravesó como un rayo las tablas retumbantes, alcanzó el otro lado y entonces Ichabod volvió la vista para comprobar si su perseguidor se desvanecía en un relámpago de fuego y azufre. En ese instante vio cómo el fantasma se alzaba en los estribos y le arrojaba su propia cabeza. Ichabod intentó esquivar el horrible proyectil, pero era demasiado tarde: se le estrelló contra el cráneo con un golpe tremendo que lo lanzó de bruces al suelo; y Pólvora, el corcel negro y el jinete fantasma pasaron a su lado como un vendaval.

Al día siguiente hallaron al viejo caballo sin montura y con la brida entre los cascos, paciendo hierba muy tranquilo junto a la casa de su amo. Ichabod no acudió a desayunar…, llegó la hora de la cena e Ichabod seguía sin aparecer. Los muchachos se congregaron en la escuela y pasearon ociosos a orillas del riachuelo, pues no había maestro. Hans Van Ripper comenzó entonces a sentir cierta preocupación por el paradero de Ichabod y de su propia silla. Se organizó una partida y, tras minuciosa búsqueda, dieron con su pista. A la vera del camino que conducía a la ermita encontraron la montura pisoteada entre el

---

26 Existe la creencia supersticiosa de que los espíritus no pueden cruzar el agua.

barro; se localizaron huellas muy profundas de herraduras (señal evidente de una velocidad vertiginosa) que se dirigían hasta el puente, pasado el cual, y a la orilla de un ensanche del arroyo donde el agua fluía profunda y oscura, se encontró el sombrero del desdichado Ichabod al lado de una calabaza despachurrada. Dragaron el fondo del riachuelo, pero no se descubrió el cuerpo del maestro. Hans Van Ripper, como albacea[57] de sus propiedades, examinó el hatillo que contenía todas sus pertenencias en este mundo: dos viejas camisas y media, dos pañuelos para el cuello, un par o dos de calcetines de lana, unos raídos pantalones de pana, una navaja de afeitar oxidada, un libro de salmos con muchas páginas dobladas en las esquinas y una cachimba rota. En cuanto a los libros y el mobiliario de la escuela, pertenecían a la comunidad, excepto la *Historia de la brujería* de Cotton Mather, un *Almanaque de Nueva Inglaterra*[58] y un libro de sueños y predicciones de fortuna, este último con una hoja llena de anotaciones y borrones de diversas tentativas infructuosas de escribir unos poemas en honor de la heredera de Van Tassel. Los libros de magia y los engendros[59] poéticos los arrojó al fuego Hans Van Ripper, quien decidió además no volver a enviar a sus hijos a la escuela dado que, como comentó, nunca había sabido de nada bueno que saliera de leer y escribir. Cualquier cantidad de dinero que el maestro poseyera (y acababa de recibir la paga trimestral un día o dos antes) debía de llevarla consigo en el momento de su desaparición.

El misterioso suceso despertó mucha curiosidad el domingo siguiente en la iglesia. Grupos de curiosos y cotillas se reunieron en el cementerio, en el puente y en el lugar donde habían aparecido el sombrero y la calabaza. Se rememoraron las historias de Brouwer, de Bones y una larga serie de relatos similares, y después de repasarlos todos con diligencia y compararlos con los indicios del presente caso, movieron la cabeza y llegaron a

---

57 *albacea*: persona que interviene en la ejecución de un testamento.
58 *almanaque*: calendario que contenía muchas informaciones útiles.
59 *engendro*: composición literaria de pésimo gusto.

la conclusión de que Ichabod había sido raptado por el Mercenario Galopante. Como el maestro era soltero y no tenía deudas, nadie volvió a preocuparse por él. Se trasladó la escuela a otro emplazamiento en el valle y otro pedagogo reinó en sus dominios.

Bien es cierto que un viejo granjero que fue de visita a Nueva York años después, y de quien se escuchó esta aventura fantasmal, trajo de vuelta la noticia de que Ichabod Crane seguía vivo: que había dejado la comarca, en parte por miedo al duende y a Hans Van Ripper, y en parte por la mortificación que le causó el inesperado rechazo de la heredera; que se había establecido en un lugar lejano del país, donde había seguido enseñando y había estudiado leyes al mismo tiempo, se había convertido en abogado, luego en político, había hecho campaña electoral, había escrito para los periódicos y, por último, había sido nombrado magistrado de un juzgado de paz. En cuanto a Brom Bones, que al poco de desaparecer su rival condujo a la hermosa Katrina al altar, ponía cara de enorme complicidad siempre que se recordaba la historia de Ichabod y estallaba en risotadas ante cualquier mención de la calabaza, por lo que algunos dieron en sospechar que, sobre aquel asunto, sabía más de lo que decía.

Sin embargo, las viejas comadres de la aldea, que son las mejores jueces en tales asuntos, sostienen hasta hoy que a Ichabod le hicieron desaparecer por medios sobrenaturales, y ésa es una de las historias más contadas por toda la comarca en las veladas invernales al amor del fuego. El puente se convirtió más que nunca en objeto de temor supersticioso, y quizá sea esa la razón por la que años después desviaron el camino a la ermita por la ribera del azud del molino. Al quedar abandonada, la escuela pronto acabó medio en ruinas, y se decía que estaba hechizada por el fantasma del pobre maestro; y cuando el mozo de labranza regresa a casa tranquilamente en los atardeceres veraniegos, a menudo cree oír la voz de Ichabod a lo lejos, entonando un melancólico salmo en las apacibles soledades de Sleepy Hollow.

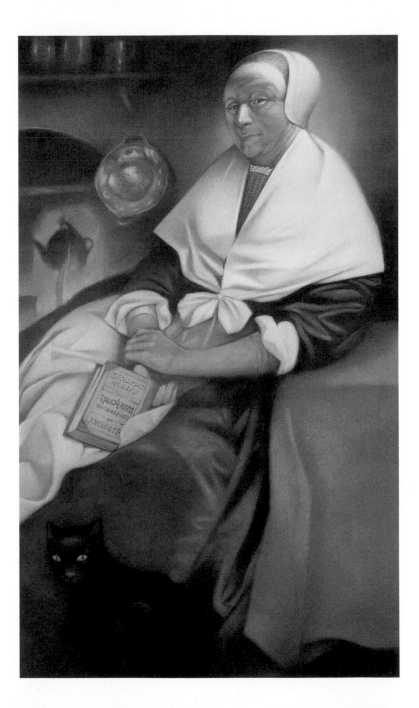

Epílogo

ENCONTRADO DE PUÑO Y LETRA DEL SR. KNICKERBOCKER

El cuento precedente se ofrece casi con las mismas palabras con que lo oí narrar en una reunión del ayuntamiento de la antigua ciudad de Manhattan,[27] a la que asistían muchos de sus ciudadanos más cultos e ilustres. El narrador era un anciano educado, agradable, vestido con raídas ropas de mezclilla,[60] y de rostro divertido a la par que triste. Yo mucho me sospechaba que era pobre, porque hacía notables esfuerzos por resultar entretenido. Cuando terminó el relato hubo grandes carcajadas y asentimientos, sobre todo de dos o tres concejales que casi todo el rato habían estado dormidos. Había, sin embargo, un anciano alto, cejijunto y de aspecto seco, que no mudó su semblante grave y más bien severo a lo largo de todo el relato: de vez en cuando doblaba los brazos, inclinaba la cabeza y miraba al suelo como si una duda lo atormentara. Era uno de esos hombres cautelosos que nunca ríen, salvo por motivos fundados... y siempre que la razón y la ley los asista. Cuando la alegría del resto de la concurrencia dio paso al silencio, apoyó un brazo en el sillón y, con el otro en jarras, preguntó, con un gesto leve pero muy sabio de la cabeza y una contracción de las cejas, cuál era la moraleja de la historia y qué pretendía demostrar.

---

60 *mezclilla*: tela de mezcla, de poco cuerpo.

27 Ciudad fundada en 1626 por el gobernador holandés Peter Minuit, que adquirió la isla de los indios del mismo nombre. En la actualidad forma parte de la ciudad de Nueva York.

El narrador, que en ese momento se llevaba a los labios una copa de vino como refrigerio tras su relato, hizo una pausa, miró con aire de infinita deferencia[61] al que preguntaba y, posando despacio la copa en la mesa, comentó que la historia quería demostrar con toda lógica:

«Que no hay en la vida situación que no tenga sus ventajas y placeres…, siempre que sepamos aceptar una broma cuando se presenta.

»Que, por tanto, aquel que desafía a correr a soldados fantasmas es muy probable que tenga que afrontar una carrera muy dura.

»*Ergo*,[62] si una rica heredera holandesa rechaza a un maestro de escuela, es seguro que el pretendiente acabará obteniendo un alto cargo en la administración».

El cauto anciano frunció aún más el ceño tras esa explicación, muy perplejo por el razonamiento del silogismo,[63] mientras el que iba vestido de mezclilla le miraba (o eso me pareció) con una especie de sonrisa triunfante. Al cabo comentó que todo eso estaba muy bien, pero que él todavía encontraba la historia un poco disparatada…, que había uno o dos puntos sobre los que seguía teniendo sus dudas.

—Tened fe, señor —respondió el narrador—, pues, de esta historia, yo mismo no me creo ni la mitad.

D. K.

---

61 *deferencia*: condescendencia, actitud del que trata con amabilidad a alguien de situación más modesta.

62 *ergo*: 'por tanto', 'en consecuencia'; es término usado en lógica.

63 *silogismo*: argumento que consta de tres proposiciones, la última de las cuales se deduce del conjunto de las otras dos.

Rip Van Winkle

Traducción de Julio-César Santoyo

[PROEMIO]

Se halló este relato entre los papeles del difunto Diedrich Knickerboker,[1] un anciano caballero de Nueva York muy interesado
por la historia de los holandeses en esa región y por las costumbres de los descendientes de aquellos primeros colonos. Sin
embargo, sus averiguaciones históricas no se basaron tanto en
los libros como en la gente: lamentablemente, escaseaban los libros que trataban de sus temas favoritos, mientras que entre los
lugareños ancianos, y más aún entre sus mujeres, encontraba
abundantes leyendas, tan valiosas para la verdadera historia.
Así que cuando daba con una familia típicamente holandesa,
recluida en su acogedora granja achaparrada,[1] a la sombra de
un árbol frondoso, los contemplaba como si se tratara de un
pequeño volumen de cierres metálicos y letra gótica y los estu-
diaba con todo el celo de un ratón de biblioteca.

El resultado de tales averiguaciones fue una historia de la región durante el mandato de los gobernadores holandeses,[2] historia que se editó algunos años después. Varias han sido las opiniones acerca del carácter literario de esa obra y, a decir verdad,

---

1 *achaparrada*: aquí, 'de techos bajos'.

1 Sobre este personaje ficticio, véase la «Introducción» (pp. XIV-XVI).

2 El gobernador de la Compañía holandesa de las Indias occidentales compró en
1626 a los indios la isla de Manhattan, y allí fundó la colonia de Nueva Amsterdam, que en 1664 fue anexionada por los británicos. El narrador, pues, se refiere al periodo 1626-1664.

podría haber sido algo mejor de lo que es. Su mayor mérito reside en su escrupulosa exactitud, que es cierto que fue un tanto cuestionada cuando se publicó, pero que luego ha quedado completamente comprobada. Ahora se la incluye ya en todos los fondos históricos como libro de indudable autoridad.

El anciano caballero murió poco después de que se publicara su obra y, ahora que ya está muerto y bien muerto, no dañará demasiado su memoria decir que podría haber empleado mucho mejor su tiempo en afanes de mayor enjundia.[2] No obstante, él tendía a hacer a su manera lo que le gustaba. Y aunque más de una vez engañó un poco a sus vecinos y afligió el espíritu de amigos por los que sentía la consideración y el afecto más sinceros, con todo hoy se recuerdan sus coladuras[3] y desatinos «con más pena que enojo»[3] y empieza ya a sospecharse que nunca tuvo la menor intención de injuriar u ofender. Pero sea cual sea el aprecio de los críticos por su memoria, muchos siguen recordándolo con afecto y también merece tenerse en cuenta esa buena opinión; en particular la de algunos pasteleros, que hasta han llegado a reproducir su retrato en los dulces de Año Nuevo; con lo que le han puesto la inmortalidad en bandeja. Casi igual que si hubieran grabado su efigie en una medalla conmemorativa de la batalla de Waterloo o en un cuarto de penique de la reina Ana.[4]

---

2 *afanes*: trabajos, esfuerzos; *enjundia*: contenido, sustancia.

3 *coladura*: error, desacierto.

3 Cita de la obra de Shakespeare *Hamlet* (I.II.230).

4 La batalla de Waterloo, que tuvo lugar el 18 de junio de 1815, supuso la derrota definitiva de Napoleón frente al ejército aliado bajo el mando del duque de Wellington. Tras la batalla se acuñaron numerosísimas medallas celebrando la victoria y cada soldado recibió una. Por otra parte, la reina Ana fue soberana de Inglaterra desde 1702 a 1714. En tiempos de Irving se pensaba que los *farthings* (cuartos de penique) acuñados en ese reinado eran una rareza, e incluso se decía que solamente se llegaron a acuñar tres.

RELATO PÓSTUMO DE
DIEDRICH KNICKERBOCKER

> La verdad es algo que mantendré siempre
> hasta el día mismo en que a rastras
> baje al sepulcro.
>
> *Cartwright*[5]

Quien haya recorrido el Hudson río arriba tiene por fuerza que recordar los montes Catskill. Forman un macizo desmembrado de la gran cordillera de los Apalaches y se los ve a lo lejos, al oeste del río, remontándose hasta una buena altura y dominando entero el territorio circundante.[6] Cada cambio de estación, cada cambio de tiempo, hasta cada hora del día produce alguna variación en las formas y matices mágicos de esos montes, y todas las buenas comadres, estén cerca o lejos, los consideran un barómetro perfecto. Cuando hace bueno y el tiempo está sereno, se visten de azul y púrpura e imprimen sus nítidos perfiles en el cielo limpio de la tarde; pero a veces, mientras no hay ni una sola nube en el resto del paisaje, ellos concentran en las cumbres un capuchón de vapores grises que, a los rayos últimos del sol poniente, resplandecen de luz como una corona de gloria.

Quizá el viajero haya advertido al pie de esas montañas mágicas las ligeras volutas de humo que se alzan de un pueblo en-

---

5 Precedidos por una invocación a Odín, dios de la mitología nórdica, estos versos pertenecen a la obra *The Ordinary*, del dramaturgo inglés William Cartwright (1611-1643). El narrador encabeza con ellos el relato para reafirmar la veracidad de la historia narrada.

6 La cordillera de los Apalaches recorre de norte a sur la costa oriental de EEUU. El macizo de los montes Catskill se halla al oeste de la cordillera y alcanza una altura de 1261 m.

tre árboles, con tejados brillantes de lastras[4] de madera, justo allí donde la tonalidad azul de la montaña se funde con el verde vivo del paisaje más cercano. Es un pueblecito muy antiguo, fundado por colonos holandeses en los primeros momentos de la provincia, al comienzo del gobierno del bueno de Peter Stuyvesant[7] (que en paz descanse), y todavía hace pocos años seguían en pie algunas casas de aquellos colonos, construidas con pequeños ladrillos amarillos importados de Holanda, ventanas de celosía, fachadas con gabletes[5] y una veleta en lo más alto.

En ese pueblo, pues, y precisamente en una de esas casas (que, a decir verdad, daba pena verla tan vetusta[6] y castigada por los elementos), vivía hace ya muchos años, cuando la región aún era colonia de Gran Bretaña, un tipo sencillo y bondadoso que respondía al nombre de Rip Van Winkle. Descendía de aquellos Van Winkle que descollaron por su intrepidez en los días gallardos de Peter Stuyvesant y que con él estuvieron en el asedio al Fuerte Christina. Había heredado, sin embargo, muy poco del carácter marcial de sus antepasados. Ya he dicho que era un tipo sencillo y bondadoso; pero es que además era un buen vecino y un marido obediente y calzonazos. Es muy probable que a esta última circunstancia se debiera la mansedumbre de espíritu que le ganaba una popularidad general: hombres como él, que en casa viven bajo la férula de una arpía,[7] son los que fuera de casa resultan más serviles y conciliadores. Qué duda cabe, su temperamento se torna dócil y maleable en el horno ardiente de las tribulaciones[8] domésticas, y una bronca casera equivale a todos los sermones del mundo a la

---

4 *lastra*: laja, piedra plana y delgada empleada como teja.
5 *gablete*: remate superior de la fachada acabado en ángulo agudo.
6 *vetusta*: muy vieja.
7 *férula*: palmeta; *arpía*: mujer de mal genio, que usa un lenguaje insultante y grosero.
8 *tribulación*: preocupación.

7 Peter Stuyvesant (1592-1672) fue el último gobernador holandés de la región. Como se relata en el párrafo siguiente, Stuyvesant derrotó en 1655 a los colonos suecos con los que mantenía enfrentamientos en Fuerte Christina, cerca de lo que en la actualidad es la ciudad de Wilmington, en el estado de Delaware.

hora de ilustrar las virtudes de la paciencia y de la longanimidad.[9] En cierta medida, pues, a una esposa así se la puede considerar una bendición tolerable; sólo que a Rip Van Winkle lo
habían bendecido por triplicado.

Cierto es que gozaba de la predilección de las comadres del
pueblo: ellas, como es frecuente en el sexo débil, se ponían de
su parte en las trifulcas familiares; y siempre que a la caída de la
tarde chismorreaban de tales asuntos, nunca dejaban de echarle

toda la culpa a la señora Van Winkle. Los rapaces del pueblo
gritaban también llenos de alegría cuando él se acercaba. Rip se
quedaba mirando sus juegos, les hacía juguetes, les enseñaba a
lanzar las cometas y a jugar con las canicas, y les contaba largas
historias de indios, brujas y fantasmas. Una tropa de ellos le rodeaba siempre que se escapaba por el pueblo, se le colgaban de
los faldones, se le subían a la espalda y le gastaban con impunidad todo tipo de bromas. Y ni un solo perro le ladraba en la vecindad.

La mácula[10] mayor en el temperamento de Rip era su aver-
sión insuperable por cualquier clase de faena de provecho. Y no
es que se debiera a falta de constancia o perseverancia, porque

9 *longanimidad*: virtud consistente en soportar con entereza de ánimo las adversidades o las ofensas.
10 *mácula*: mancha, defecto.

bien podía pasar el día entero pescando sin ni siquiera abrir la
boca, sentado en una piedra húmeda y con una caña tan larga y
pesada como la lanza de un tártaro, y eso sin desanimarse aunque ni un solo pez picara. Pasaba horas y horas con la escopeta
al hombro, en caminatas por bosques y ciénagas, monte arriba
y valle abajo, disparando a unas pocas ardillas y palomas silvestres. Nunca dejaba de ayudar a un vecino, ni siquiera en los peo-
res trabajos, y en los festejos locales no había quien le ganara a
pelar maíz o a levantar cercas de piedra. También las mujeres
del pueblo solían echar mano de él para que les llevara recados
y les hiciera las pequeñas chapuzas que sus maridos, menos
complacientes, se negaban a hacer. En una palabra: que Rip estaba siempre dispuesto a ocuparse de los asuntos de los demás
antes que de los suyos. Pero atender a las cosas de la casa y cui-
dar de la granja, eso le resultaba imposible.

De hecho, él aseguraba que de nada servía trabajar en su
granja: era el trocito de terreno más apestoso de todo el país.
Allí nada iba bien. Y nada iría bien, por mucho que él se empe-
ñara. Las cercas no hacían sino caerse a pedazos; la vaca se per-
día o aparecía entre las berzas; los hierbajos crecían más en sus
tierras que en cualquier otro lugar; y la lluvia siempre se creía
en la obligación de hacerse presente justo cuando él tenía algún
trabajo fuera de la casa. Así que, administrados por él, sus bienes patrimoniales habían ido reduciéndose palmo a palmo hasta quedar reducidos a poco más que una pequeña parcela de
patatas y maíz; a pesar de lo cual, no había granja peor cuidada
en toda la vecindad.

Los hijos iban también tan desharrapados y desmandados
como si no lo fueran de nadie. Su hijo Rip, un golfillo calcado
en todo al padre, prometía heredar con la ropa vieja las costumbres de su progenitor. Casi siempre se le veía pegado como
un potrillo a los talones de su madre, vestido con un par de calzones viejos del padre que apenas si lograba mantener sujetos
con una mano, como una damisela con los bajos de la falda
cuando hace mal tiempo.

No obstante, Rip Van Winkle era uno de esos felices mortales de carácter atolondrado y acomodadizo que se toman las cosas como vienen, que lo mismo comen pan blanco que negro con tal de ganarlo sin tener que pensar ni preocuparse y que prefieren pasar hambre con un centavo encima a trabajar a cambio de unos billetes. De haber vivido solo, habría pasado la vida silbando y siempre contento; pero su mujer no dejaba de alborotarle los oídos con su holgazanería, su despreocupación y la ruina a la que estaba llevando a la familia. Mañana, tarde y noche, su lengua nunca se detenía y cualquier cosa que él hacía o decía estaba destinada a generar un torrente de elocuencia doméstica. Rip sólo tenía una forma de replicar a tales sermones, y de tanto echar mano de ella ya se había convertido en costumbre: encogía los hombros, movía la cabeza, alzaba los ojos y nada decía. Lo cual, sin embargo, provocaba siempre en su mujer una nueva andanada. Así que él de buena gana replegaba sus tropas y se refugiaba fuera de la casa, único lugar que de hecho pertenece a un marido calzonazos.

Rip no tenía más simpatizante doméstico que su perro Wolf, tan calzonazos como su dueño: la señora Van Winkle tenía a los dos por compañeros de holgazanería y hasta miraba a Wolf con malos ojos como la causa de que su dueño anduviera tan a menudo por mal camino. Cierto es que, en todo lo que concierne al temple de un perro como Dios manda, no había habido nunca animal más valeroso a la hora de escudriñar el bosque... Pero ¿qué valor puede resistir el perpetuo acoso de una aterradora lengua femenina? Apenas entraba en casa, Wolf agachaba la cresta, bajaba hasta el suelo la cola o la escondía entre las patas, se movía sigilosamente con aire patibulario,[11] mirando siempre de reojo a la señora Van Winkle, y al menor meneo de una escoba o cucharón volaba hacia la puerta con un aullido acelerado.

A medida que pasaban los años de matrimonio, las cosas le iban cada vez peor a Rip Van Winkle: el mal carácter no se

---

11 *patibulario*: persona que tiene aspecto de criminal.

atempera[12] con la edad y una lengua afilada es el único instrumento cortante que con el uso se afila más. Hubo un tiempo en que, al huir así de casa, se consolaba frecuentando una especie de club perpetuo de sabios, filósofos y demás personajes ociosos del lugar, que celebraban sus reuniones en un banco, junto a una pequeña posada a la que daba nombre un rubicundo[13] retrato de su majestad Jorge III.[8] Solían sentarse a la sombra, a lo largo de todo un perezoso día de verano, repasando lángui-

damente las habladurías del pueblo o contando interminables y somnolientas historias sobre nada. Pero habría merecido la pena pagar el sueldo de cualquier político con tal de haber oído las sesudas discusiones que a veces tenían lugar allí cuando por casualidad caía entre sus manos un periódico viejo que dejaba al pasar algún viajero: con qué solemnidad escuchaban las noticias a medida que las desgranaba Derrick Van Bummel, el

---

12 *atemperar*: moderar la violencia de una pasión o un sentimiento.
13 *rubicundo*: que tiene la cara de color rojo encendido.

8 Jorge III fue rey de Gran Bretaña e Irlanda desde 1760 a 1820. Durante su reinado se perdieron las colonias norteamericanas, aunque se expandió considerablemente el imperio británico.

maestro, un hombrecillo pulcro[14] y culto, al que no le intimida-
ba la palabra más descomunal del diccionario; y cuán sabiamente deliberaban sobre los acontecimientos públicos meses
después de que hubieran acontecido.

Las opiniones de esta asamblea las controlaba todas Nicholas Vedder, patriarca del pueblo y dueño de la posada, a cuya
puerta se sentaba de la mañana a la noche, moviéndose sólo lo
suficiente para evitar el sol y mantenerse a la sombra de un
gran árbol; de modo que por sus movimientos los vecinos podían saber la hora con la misma exactitud que con un reloj de
sol. Cierto es que rara vez se le oía decir algo, pero fumaba sin
cesar su pipa. Sus partidarios, sin embargo (todo gran hombre
tiene sus partidarios), le entendían a la perfección y sabían interpretar sus opiniones: cuando le desagradaba algo de lo que
se leía o contaba, se le veía fumar con vehemencia[15] y lanzar
bocanadas cortas, frecuentes y malhumoradas; pero cuando algo le agradaba, inhalaba el humo lenta y tranquilamente y lo
despedía en ligeras y plácidas nubecillas; otras veces se quitaba
la pipa de la boca, dejaba que la fragante humarada formara es-
pirales en torno a su nariz y asentía gravemente con la cabeza
en señal de completa aprobación.

Hasta desde ese baluarte[16] suyo acababa finalmente expulsa-
do el desgraciado de Rip por la fiera de su mujer, que irrumpía
de improviso en el sosiego de aquellas asambleas y acababa lla-
mando inútiles a todos los asistentes. Ni siquiera la augusta
personalidad del propio Nicholas Vedder se libraba entonces de
la atrevida lengua de aquel terrible marimacho, que abiertamente le acusaba de alentar en su marido el hábito de la pereza.

El pobre Rip acabó casi reducido a un estado de desesperación, sin más alternativa para escapar de las faenas de la granja
y de las voces de su mujer que coger la escopeta y perderse en el

---

14 *pulcro*: aseado y cuidadoso de su persona, su lenguaje, sus ropas, etc.
15 *con vehemencia*: acaloradamente.
16 *baluarte*: 'fortaleza'; el término se usa aquí figuradamente.

bosque. Allí se sentaba a veces al pie de un árbol y compartía el contenido de su zurrón[17] con Wolf, del que se compadecía como camarada suyo en la persecución.

—Pobre Wolf —solía decir—, tu dueña te hace llevar una vida de perro. Pero no te apures, muchacho, que mientras yo viva nunca faltará a tu lado un amigo.

Wolf movía la cola, miraba melancólico a su amo y, si los perros sienten lástima, de verdad que creo que de todo corazón compartía sus sentimientos.

Durante uno de esos largos paseos, un hermoso día de otoño, Rip llegó sin darse cuenta hasta uno de los puntos más altos de los montes Catskill. Andaba embebido en su ocupación favorita, la caza de ardillas, y las apacibles soledades habían resonado una y otra vez con el estruendo de su escopeta. Avanzada ya la tarde, se dejó caer jadeante y fatigado sobre un verde montículo cubierto de herbaje de montaña que coronaba el borde de un precipicio. Desde un claro entre los árboles dominaba el paisaje de espeso bosque que se extendía muchas millas a sus pies. Vio en la distancia, muy a lo lejos, el Hudson señorial que trazaba silencioso su curso majestuoso, y el reflejo de una nube púrpura o las velas de barcas rezagadas que dormitaban aquí y allá en su regazo de cristal y acababan diluyéndose en el azul de las montañas.

Al otro lado se contemplaba un valle hundido en la montaña, agreste, solitario y escabroso, el fondo cubierto de rocas caídas de las alturas circundantes y apenas iluminado por los reflejos del sol poniente. Rip se quedó un rato absorto ante aquel panorama; poco a poco se desvanecía la tarde; las montañas comenzaban a proyectar sobre los valles sus largas sombras azules; vio que sería ya de noche mucho antes de que él pudiera llegar al pueblo y exhaló un profundo suspiro cuando pensó en el encuentro con la aterradora señora Van Winkle.

---

17 *zurrón*: morral, bolsa grande que llevan los cazadores para guardar los animales cazados.

A punto ya de descender, oyó que en la distancia le llamaba una voz:

—¡Rip Van Winkle! ¡Rip Van Winkle!

Miró a uno y otro lado, pero nada alcanzó a ver, como no fuera un cuervo que trazaba su vuelo solitario por la montaña. Pensó que eran cosas de su imaginación y se dio media vuelta para iniciar el descenso cuando oyó que la misma voz volvía a resonar en el aire apacible de la tarde:

—¡Rip Van Winkle! ¡Rip Van Winkle!

Al mismo tiempo Wolf arqueó el lomo, gruñó por lo bajo y se pegó a su amo, mirando receloso al fondo del valle. Rip sintió entonces que le entraba una vaga aprensión; miró inquieto en la misma dirección y atisbó una figura extraña que se afanaba peñas arriba, doblada bajo el peso de algo que cargaba a la espalda. Se sorprendió al ver a otra persona en aquel paraje tan solitario y poco frecuentado, pero supuso que se trataba de alguien de los alrededores que necesitaba ayuda y se apresuró a bajar para prestársela.

Al acercarse un tanto se quedó todavía más sorprendido por lo extraño del aspecto del desconocido. Era un anciano de estatura baja, fornido, con una espesa melena y barba entrecana. Vestía a la antigua usanza holandesa: un justillo[18] de paño ceñido a la cintura, varios pares de calzones superpuestos, de amplio vuelo el último, adornado con hileras de botones a lo largo de los costados y afollado[19] a la altura de las rodillas. Llevaba al hombro un pesado barrilete que parecía lleno de licor y le hacía señales a Rip para que se acercara y le ayudara con la carga. Aunque no sin cierto recelo y desconfianza, Rip accedió con su presteza habitual y, relevándose mutuamente con la carga, treparon por un estrecho barranco, al parecer el cauce seco de un torrente de montaña. A medida que subían, Rip oía de vez en

---

18 *justillo*: prenda de vestir interior, sin mangas, que ciñe el cuerpo sin sobrepasar la cintura.

19 *afollado*: en forma de fuelle.

cuando prolongados retumbos, como truenos lejanos, que parecían proceder de una profunda hondonada, más bien una grieta, entre dos altos peñascos hacia los que llevaba aquel escabroso[20] sendero. Se detuvo un instante, pero supuso que se trataba del eco de una de esas breves tormentas que se dan a menudo en zonas montañosas y prosiguió su camino. Al acabar de cruzar el barranco, llegaron a una oquedad que semejaba un pequeño anfiteatro rodeado de paredes verticales de roca; en lo alto entrecruzaban los árboles sus ramas y sólo se alcanzaban a ver retazos del cielo azul y de las brillantes nubes del atardecer. Durante todo ese tiempo Rip y su acompañante habían caminado en silencio porque, aunque el primero no dejaba de preguntarse qué objeto tenía acarrear cuesta arriba un barril por aquella agreste montaña, sin embargo había en el desconocido algo extraño e incomprensible que inspiraba temor y frenaba cualquier familiaridad.

Al entrar en el anfiteatro, nuevos motivos de asombro se le ofrecieron a la vista. En el centro, y en una zona llana, había un grupo de personajes de extraña catadura[21] que jugaban a los bolos. Vestían de manera pintoresca y extravagante: unos llevaban jubones[22] cortos, otros justillos, con largos cuchillos al cinto, y la mayoría vestía unos amplios zaragüelles,[23] semejantes al de su guía. También los rostros eran extraños: había uno de cabeza grande, cara ancha y ojillos de lechón; otro presentaba una cara que parecía tener sólo nariz, coronada por un sombrero blanco de copa cónica en el que destacaba una pequeña cola de gallo roja. Todos lucían barbas, de distintas formas y colores. Había uno que parecía estar al mando. Era un caballero ya de edad, corpulento y de rostro curtido por la intemperie; vestía

---

20 *escabroso*: formado por rocas y con desigualdades que hacen el paso difícil.

21 *catadura*: 'aspecto'; tiene valor despectivo.

22 *jubón*: prenda de vestir antigua, con o sin mangas, que cubre el cuerpo hasta la cintura.

23 *zaragüelles*: pantalones de perneras anchas que forman pliegues y que se usaban antiguamente.

un jubón con encajes, cinto ancho y cuchillo curvo de monte, sombrero de copa alta con una pluma, medias rojas y zapatos de tacón alto con lazos en forma de rosas. El grupo entero le trajo a Rip a la memoria los personajes de un antiguo cuadro flamenco que Dominie Van Shaick, el párroco del pueblo, tenía en el salón y que habían traído desde Holanda en tiempos de la colonización.

Lo que a Rip le pareció particularmente extraño es que, aunque era evidente que aquella gente lo estaba pasando bien, no obstante sus caras eran de lo más serias y su silencio de lo más misterioso: desde luego, nunca había visto un grupo que se divirtiera con mayor melancolía. Lo único que interrumpía la quietud de la escena era el ruido de las bolas: siempre que rodaban, su eco resonaba por las montañas como el retumbo estruendoso del trueno.

Al acercarse Rip y su acompañante, dejaron ellos de pronto de jugar y se le quedaron mirando fijamente, como estatuas, con semblantes tan extraños, grotescos e inexpresivos que el corazón le dio un vuelco y las rodillas le entrechocaron. Su acompañante vació entonces el contenido del barrilete en unas jarras de buen tamaño y le indicó que se las diera al grupo. Rip obedeció con miedo y tembloroso. Bebieron ellos el licor a grandes tragos en completo silencio y luego prosiguieron con el juego.

Poco a poco fueron remitiendo el miedo y la aprensión de Rip. Hasta se aventuró, cuando nadie lo miraba, a probar la bebida, que comprobó que tenía mucho del aroma de la buena ginebra de Holanda. Como era persona siempre sedienta, pronto sintió la tentación de repetir el trago. Un sorbo llevó a otro, y con tal frecuencia reiteró las visitas a la jarra que los sentidos se le acabaron embotando,[24] los ojos le nadaban en la cabeza, la cabeza se le fue poco a poco ladeando y cayó en un sueño profundo.

---

24 *embotar*: quitar agudeza o eficacia a los sentidos.

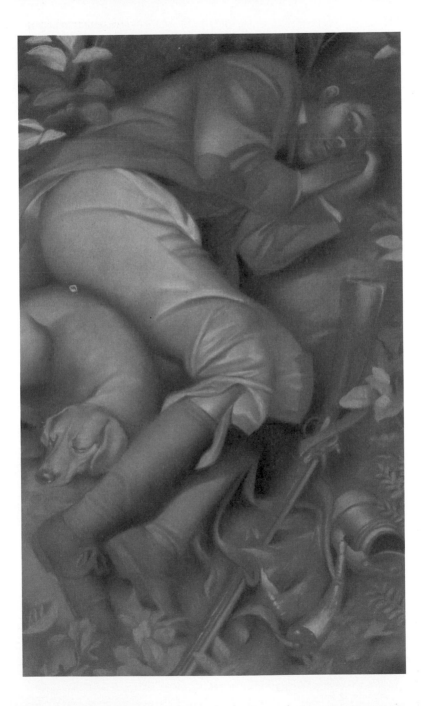

Al despertarse, Rip se encontró en el montículo verde desde
el que había visto la primera vez al anciano del valle. Se frotó
los ojos..., era una mañana soleada y luminosa. Gorjeaban los
pájaros, volaban de un arbusto a otro y en el cielo el águila trazaba círculos y surcaba la brisa pura de la montaña.

«No es posible que haya dormido aquí toda la noche», pensó Rip.

Recordó los acontecimientos anteriores a caer dormido: el
tipo extraño con el barrilete de licor, el barranco, aquella soledad agreste entre peñascos, el grupo cariacontecido de los bolos, la jarra...

«¡Anda! ¡La jarra, la maldita jarra!», pensó Rip: «¿Qué excu-
sa voy a darle a la señora Van Winkle?».

Buscó el arma, pero en vez de la escopeta limpia y bien en-
grasada halló a su lado un viejo fusil de chispa, el cañón cubierto de herrumbre, el gatillo medio caído y la culata toda carcomida. Se imaginó que los taciturnos juerguistas de la montaña
le habían jugado una mala pasada y que, después de aquella
dosis de alcohol, le habían robado la escopeta.

También Wolf había desaparecido, pero quizá anduviera
perdido detrás de alguna ardilla o perdiz. Lo llamó a voces, le
silbó, pero en vano: los ecos repetían el silbido y su voz, pero
allí no aparecía ningún perro.

Decidió volver al escenario de los retozos de la tarde anterior y, si encontraba a alguien del grupo, reclamarle el perro y
la escopeta. Al levantarse para echar a andar, comprobó que tenía las articulaciones agarrotadas y que le faltaba la agilidad habitual.

«Estas camas de montaña no van conmigo», pensó Rip. «Y
si esta aventura me va a tener en cama con un ataque de reúma,
buen futuro me espera con la señora Van Winkle».

Bajó con cierta dificultad hasta el valle y encontró el barranco por el que la víspera habían subido él y su acompañante; pero, para asombro suyo, ahora había un torrente que entre espu-
mas saltaba de roca en roca y llenaba el valle de incesantes

murmullos. Se las arregló, sin embargo, para ir trepando por la orilla, abriéndose paso a duras penas por espesuras de abedules, sasafrás y ocozoles,[25] tropezando a veces, enredado otras en las parras silvestres que de árbol en árbol retorcían los tentáculos de sus zarcillos y tendían una especie de red a su paso.

Llegó por fin al lugar donde el barranco había cruzado las paredes de roca para abrirse en anfiteatro, pero donde ahora no quedaba traza alguna de tal abertura. Las rocas ofrecían una pared alta e impenetrable desde la que se precipitaba el torrente en cortinas de suave espuma que acababan en remanso ancho y profundo, negro por las sombras del bosque circundante. Allí, pues, tuvo que detenerse el pobre Rip. Volvió a llamar y a silbarle a su perro: no hubo más respuesta que los graznidos de una bandada de cuervos ociosos que arriba en el cielo retozaban en torno a un árbol seco que asomaba sobre el precipicio soleado y que, seguros en su altura, parecían mirar hacia abajo y burlarse de la perplejidad del pobre hombre. ¿Qué podía hacer? Avanzaba ya la mañana y Rip, que no había desayunado, tenía hambre. Sentía tener que quedarse sin el perro y la escopeta. Y le daba pavor encontrarse con su mujer. Pero de nada serviría morir de hambre entre aquellos montes. Movió la cabeza, se echó al hombro el fusil oxidado y, desasosegado e inquieto, tomó el camino de casa.

Mientras se acercaba al pueblo se cruzó con gente, pero con nadie a quien conociera, lo que no dejó de sorprenderlo, porque creía conocer a todo el mundo en la comarca. Además, vestían de un modo que le resultaba desacostumbrado. Ellos se lo quedaban mirando con la misma cara de sorpresa, y siempre que alguien le echaba la vista encima se llevaba la mano a la barbilla. La repetición de aquel gesto, una y otra vez, le indujo involuntariamente a hacer él lo mismo y, para sorpresa suya, ¡descubrió que la barba le había crecido treinta centímetros!

---

25 *sasafrás*: planta arbórea cuya madera se emplea en ebanistería; *ocozol*: arbusto cuya corteza se emplea en medicina.

Había llegado ya a las primeras casas del pueblo. Una tropa de niños desconocidos se le pegó a los talones, ululando[26] y señalando su barba gris. A su paso también le ladraban los perros, ni uno solo de los cuales le resultaba viejo conocido. Hasta el mismo pueblo había cambiado: era más grande y había más gente. Veía hileras de casas que nunca antes había visto y en cambio habían desaparecido las que antes solía frecuentar. En las puertas se veían nombres extraños..., caras extrañas en las ventanas..., todo era extraño. Dominado por la incertidumbre, dio en pensar si tanto él como el mundo que le rodeaba no estaban hechizados. Desde luego, éste era su pueblo, del que él había salido justo la víspera. Allí estaban los montes Catskill..., el Hudson plateado fluía a lo lejos..., las colinas y los valles seguían donde siempre... Rip estaba pero que muy perplejo.

«Esa jarra de anoche», pensó, «me ha dejado la pobre cabeza hecha una lástima».

Tuvo incluso cierta dificultad en hallar el camino a su propia casa, a la que se acercó con silencioso temor, esperando a cada momento oír la voz chillona de la señora Van Winkle. Encontró la casa muy deteriorada: el tejado hundido, rotas las ventanas, las puertas desengoznadas.[27] Cerca merodeaba un perro medio muerto de hambre que se parecía a Wolf. Rip lo llamó por su nombre, pero el animal le gruñó, le enseñó los dientes y siguió su camino. Todo un desaire cruel, ciertamente.

—Hasta el perro me ha olvidado —suspiró el pobre Rip.

Entró en la casa, que, a decir verdad, la señora Van Winkle siempre había mantenido limpia y ordenada. Estaba vacía, dejada de la mano de Dios y por lo visto abandonada. Aquel abandono pudo más que sus temores conyugales: llamó a voces a su mujer y a los niños..., su voz resonó un momento por las habitaciones solitarias y luego volvió a reinar el silencio.

Se encaminó entonces a toda prisa a la posada del pueblo,

---

26 *ulular*: gritar.
27 *desengoznadas*: sacadas de sus goznes o bisagras.

su viejo refugio…, pero también la posada había desaparecido. En su lugar se alzaba un edificio grande de madera, con ventanales también grandes, rotos algunos y tapados con enaguas y sombreros viejos. Sobre la puerta habían pintado: «Hotel de la Unión, de Jonathan Doolittle».[9] En vez del árbol frondoso bajo el que se cobijaba la pequeña y tranquila posada holandesa de antaño, habían levantado ahora un poste largo y desnudo, con algo en lo más alto que se parecía a un gorro de dormir rojo, y

ondeaba allí una bandera en la que se veía una curiosa mezcla de barras y estrellas…,[10] todo era extraño e incomprensible. Reconoció, eso sí, la cara rubicunda del rey Jorge, bajo la que había fumado tranquilamente tantas pipas; pero hasta eso había sufrido una rara metamorfosis: la casaca roja se había tornado de color ante y azul, en vez de cetro empuñaba una espada, la cabeza iba cubierta con un sombrero de tres picos y debajo habían pintado, con grandes letras: GENERAL WASHINGTON.[11]

---

9 El apellido Doolittle (que significa 'hacer poco') resulta bastante irónico, ya que apunta al carácter ocioso del dueño del hotel.
10 Obvia alusión a la bandera norteamericana.
11 George Washington fue comandante en jefe de los ejércitos coloniales que libraron la guerra de la Independencia (1775-1783) y, posteriormente, primer presidente de los Estados Unidos (1789-1797).

Había, como de costumbre, mucha gente a la puerta, pero ninguno al que Rip reconociera. Hasta el talante de las personas parecía haber cambiado. Se notaba un aire general de bullicio, de ajetreo y controversia en vez de la flema[28] habitual y la somnolienta tranquilidad. En vano buscaba al comedido Nicholas Vedder, con su cara ancha, su papada, hermosa pipa de larga boquilla y bocanadas de humo en vez de inútiles discursos; o a Van Bummel, el maestro que impartía las novedades de un periódico viejo. Había allí en cambio un tipo flaco y de pinta atrabiliaria,[29] los bolsillos rebosantes de panfletos, que estaba soltando una arenga[30] vehemente sobre los derechos de los ciudadanos, elecciones, parlamentarios, libertad, Bunker Hill,[12] héroes del 76...[13] y demás cuestiones, que al desconcertado Van Winkle le resultaban todo un galimatías babilónico.[14]

La aparición de Rip, con su larga barba gris, el arma oxidada, su tosco atuendo y un ejército de mujeres y niños a los talones pronto atrajo la atención de los políticos de la taberna. Se agolparon a su alrededor, observándolo de la cabeza a los pies con gran curiosidad. El orador hizo lo imposible por acercarse a él y, llevándolo un poco aparte, le preguntó «por quién votaba». Rip le miró con expresión de vacío atontamiento. Otro in-

---

28 *flema*: cachaza, calma, tranquilidad.

29 *atrabiliaria*: irascible, irritable.

30 *arenga*: discurso destinado a despertar el entusiasmo de los oyentes para que lleven a cabo algo.

12 La batalla de Bunker Hill tuvo lugar el 17 de junio de 1775. Fue una de las victorias más importantes del ejército colonial.

13 El 4 de julio de 1776 las colonias norteamericanas declararon su independencia de la corona británica.

14 En *Génesis*, 11, 1-9, se nos relata la historia de la torre de Babel (que en hebreo significa 'embrollo' o 'confusión'), levantada por los babilonios en la ciudad del mismo nombre. Aunque algunos críticos señalan que Irving confunde la ciudad de Babel y la de Babilonia, debe observarse sin embargo que ambos términos se refieren a un mismo lugar, ya que el nombre *Babilonia* procede de *Babel*. El citado episodio bíblico explica el nacimiento de las diferentes lenguas humanas como resultado del castigo divino ante el orgullo y la ambición de los babilonios, empeñados en construir una torre que desafiara al mismo poder de Dios.

dividuo bajo y vivaz le tiró del brazo y de puntillas le preguntó al oído «si era federal o demócrata».[15] Rip tampoco llegó a entender la pregunta. Fue entonces cuando un individuo entrado en años, con aires de suficiencia y sombrero de tres picos, se abrió camino entre la multitud, desplazándola a derecha e izquierda con los codos a medida que pasaba; se plantó delante de Van Winkle, con un brazo en jarras y el otro apoyado en el bastón, y, clavándole en el alma una mirada penetrante y, por así decir, los picos mismos del sombrero, le preguntó en tono severo «qué es lo que le traía a las elecciones con un arma al hombro y un gentío a los talones, y si era su intención provocar disturbios en el pueblo».

—¡Ay, señores! —exclamó Rip, un tanto consternado—.[31] Soy un pobre hombre de paz, nací aquí y soy un súbdito leal del rey, ¡Dios le bendiga!

Un vocerío general se alzó entonces en la concurrencia:

—¡Un realista, un realista, un espía, un refugiado! ¡Fuera con él, que se largue!

Sólo con mucha dificultad logró restablecer el orden el hombre del sombrero de tres picos que se creía importante; y con ceño diez veces más severo volvió a preguntar al desconocido culpable a qué venía allí y a quién buscaba. El pobre hombre le aseguró con humildad que no tenía intención de hacer daño a nadie, que sólo venía en busca de algunos vecinos que solían andar por la taberna.

—Bien…, ¿quiénes son?… ¿cómo se llaman?

Rip lo pensó un momento y preguntó:

—¿Dónde está Nicholas Vedder?

Hubo un momento de silencio y luego un anciano de vocecilla aflautada contestó:

---

31 *consternado*: muy abatido y apenado.

15 El narrador alude al partido Federalista, liderado por Alexander Hamilton, y al partido Democrático, liderado por Thomas Jefferson, organizados ambos durante el mandato de George Washington como primer presidente de EEUU.

—¡Nicholas Vedder! ¡Pero si lleva dieciocho años muerto!
En el cementerio hubo mucho tiempo una lápida que hablaba
de él, pero era de madera, se pudrió y ya ha desaparecido.

—¿Dónde está Brom Dutcher?

—¡Ah!, se alistó en el ejército al comienzo de la guerra. Hay
quien dice que cayó en el asalto a Stony Point…,[16] otros dicen
que se ahogó durante una tormenta al pie de Antony's Nose.
No lo sé…, nunca volvió.

—¿Dónde está Van Bummel, el maestro?

—También se fue a la guerra. Fue un gran general de mili-
cianos y ahora está en el Congreso.

Desfalleció Rip al oír estos tristes cambios en su pueblo y
amigos y encontrarse así solo en el mundo. Las respuestas le
dejaban también perplejo, porque aludían a lapsos de muchos
años y a asuntos que no lograba entender: la guerra, el congreso, Stony Point… Sin ánimos ya para seguir preguntando por
otros amigos suyos, exclamó desesperado:

—Pero ¿es que no hay nadie aquí que conozca a Rip Van
Winkle?

—¡Ah, Rip Van Winkle! —exclamaron dos o tres—. ¡Claro
que sí! Aquel de allí es Rip Van Winkle, el que está apoyado en
el árbol.

Miró Rip y vio el vivo retrato de sí mismo cuando iba montaña arriba: aparentemente tan perezoso y desde luego igualmente
andrajoso. Ahora sí que el pobre hombre quedó desconcertado.
Puso en duda su propia identidad, y ya no sabía si era él mismo
o era otro. En medio de su perplejidad, el hombre del sombrero
de tres picos le preguntó quién era él y cómo se llamaba.

—¡Sabe Dios! —exclamó, a punto ya de volverse loco—. Yo
no soy yo…, soy otro…, ese de ahí…, no…, ese es alguien que
me ha suplantado… Anoche era yo, pero me quedé dormido
en el monte y me han cambiado la escopeta y todo está cam-

---

16 Pequeña localidad situada en la margen occidental del Hudson y a unos dieciocho kilómetros al norte de Tarrytown.

biado y yo estoy cambiado y no sabría decir cómo me llamo ni quién soy.

Comenzaron ellos entonces a cruzarse miradas, mover la cabeza, hacer guiños significativos y llevarse el dedo a la sien. Alguien habló también de poner a buen recaudo el arma del viejo para evitar que causara alguna desgracia, una sugerencia que en cuanto la oyó el hombre del sombrero de tres picos que se creía importante se alejó un tanto precipitadamente. En ese preciso momento una joven atractiva se abrió paso entre la gente para ver de cerca al hombre de la barba gris. Traía en los brazos un nene rollizo que, al ver la pinta del viejo, se asustó y comenzó a llorar.

—Calla, Rip —dijo la madre—, calla, tonto, que el hombre no te va a hacer daño.

El nombre del niño, el aire de la madre, el tono de su voz, todo despertó en la mente de Rip una sucesión de recuerdos.

—¿Cómo os llamáis, buena mujer? —preguntó.

—Judith Gardenier.

—¿Y vuestro padre?

—¡Ay, pobre hombre! Se llamaba Rip Van Winkle, pero hace ya veinte años que salió de casa con su escopeta y no hemos vuelto a saber de él…, el perro volvió sin él. Pero nadie sabría decir si se pegó un tiro o si se lo llevaron los indios. Entonces yo era sólo una niña.

A Rip le quedaba una última pregunta, y la hizo con voz temblorosa:

—¿Dónde está vuestra madre?

—¡Ah!, también ella murió poco después: se le rompió una vena durante una trifulca con un vendedor ambulante de Nueva Inglaterra.

Al menos esa noticia le produjo cierto alivio. El buen hombre ya no pudo contenerse y dio un abrazo a su hija y al niño.

—¡Soy tu padre! —exclamó—. Yo fui el joven Rip Van Winkle…, ahora soy el viejo Rip Van Winkle… ¿Es que nadie reconoce al pobre Rip Van Winkle?

Atónitos estaban todos, hasta que una anciana que con paso
inseguro salió de la multitud se llevó la mano a la frente y, mi-
rándole fijamente un momento a la cara, exclamó:

—¡Vaya que sí! ¡Es Rip Van Winkle..., es él! Bienvenido a
casa, vecino... Pero ¿dónde has estado estos veinte largos años?
Rip tardó poco en contar su historia, porque aquellos veinte
años no habían sido para él sino una sola noche. Los vecinos le
escuchaban con miradas atentas; se vio a algunos que se guiña-
ban mutuamente el ojo y se chanceaban[32] con gestos de la boca;
y el hombre que se creía importante, el del sombrero de tres picos, que regresó cuando pasó la alarma, se frotaba las comisu-
ras de los labios y movía la cabeza..., tras lo cual los allí reunidos movieron también la cabeza.

Decidieron, no obstante, conocer la opinión del viejo Peter
Vanderdonk, al que vieron acercarse lentamente por el camino.
Era descendiente del historiador del mismo nombre, que dejó
escrita una de las primeras crónicas de aquel territorio.[17] Peter
era el vecino más anciano del lugar y conocía bien las tradiciones y sucesos maravillosos de la comarca. Reconoció al punto a
Rip y corroboró los detalles de su relato. Aseguró a la concurrencia que era cierto (y lo sabía por su antepasado el historiador) que en los montes Catskill siempre habían habitado seres
extraños; que se decía que el gran Hendrick Hudson, descubridor del río y de aquel territorio, mantenía allí con la tripulación del *Media Luna* una especie de guardia cada veinte años,
lo que le permitía volver a visitar el escenario de su gesta; y que
vigilaba con ojo atento el río y la gran ciudad que llevaba su
nombre;[18] que su padre los había visto una vez, vestidos con

---

32 *chancearse*: burlarse por diversión.

17 Se refiere a Adriaen Van der Donck (1620-1655), autor de una *Historia de Nueva
    Holanda* que se publicó en Amsterdam en 1655.

18 Sobre Henry Hudson, véase la «Introducción», p. XXVI. El *Media Luna* fue uno
    de los barcos que utilizó en sus travesías transatlánticas. Hay una población en la
    margen occidental del río Hudson que lleva el nombre del explorador, aunque
    nunca llegó a ser la «gran ciudad» a la que irónicamente se refiere el narrador.

antiguos atuendos holandeses y jugando a los bolos en una oquedad[33] de la montaña; y que él mismo, una tarde de verano, había oído el ruido de las bolas, semejante al retumbo del trueno lejano.

Para no alargar la historia, diré que el grupo se dispersó y regresaron al asunto más importante de las elecciones. La hija de Rip se lo llevó a vivir con ella: tenía una casa confortable y bien amueblada, y por marido un granjero jovial y fortachón al que Rip recordaba como uno de los pilluelos que se le subían a

la espalda. En cuanto al hijo y heredero de Rip, su vivo retrato cuando lo vio apoyado contra el árbol, se le encontró trabajo en la granja, aunque demostró una predisposición hereditaria a ocuparse de cualquier cosa menos de lo suyo.

Rip volvió a sus viejos paseos y costumbres. Pronto encontró a muchos de sus antiguos compinches, si bien todos estaban ya un tanto maltrechos, porque los años no pasan en balde. Prefirió, pues, hacer amigos con la gente de la nueva generación y pronto gozó de amplia estima entre ellos.

Como nada tenía que hacer en casa y había llegado ya a esos años felices en los que un hombre puede estar ocioso con im-

33 *oquedad*: cueva, espacio vacío en un terreno.

punidad, volvió a ocupar su lugar en el banco a la puerta de la posada y con reverencia se lo consideró como uno de los patriarcas del pueblo, crónica viva de los viejos días «de antes de la guerra». Le llevó algún tiempo ponerse al tanto de los chismes locales o llegar a entender los extraños sucesos que habían acontecido durante su letargo: que había habido una revolución y una guerra…, que el país se había sacudido el yugo de la vieja Inglaterra…, y que, en vez de súbdito de su majestad Jorge III, era ahora un ciudadano libre de los Estados Unidos. Pero Rip no sabía de políticas; poca impresión le hacían los cambios en los estados e imperios; aunque sí había una forma de despotismo de la que llevaba años quejándose: el gobierno de las faldas. Felizmente, aquello había terminado: se había sacudido el yugo del matrimonio y podía entrar y salir cuando le venía en gana, sin temor ya a la tiranía de la señora Van Winkle. Con todo, cuando se la mencionaba, él movía la cabeza, encogía los hombros y alzaba al cielo los ojos, lo que podía interpretarse como expresión de resignación a su destino o bien como gozo por su liberación.

A cualquier forastero que llegaba al albergue del señor Doolittle le contaba su historia. Al principio se notaba que variaba algunos detalles cada vez que la repetía, lo que sin duda era debido a que hacía aún poco tiempo que había despertado. Por fin quedó fija, precisamente como yo la he relatado, y todos en la comarca, hombres, mujeres y niños, la sabían de memoria. Algunos siempre pretendieron dudar de su veracidad e insistían en que Rip había perdido el juicio y en esta cuestión no era nada de fiar. Sin embargo, casi todos los viejos lugareños holandeses la creían a pie juntillas. Todavía hoy en día, cuando en una tarde de verano oyen truenos de tormenta en los montes Catskill, siempre dicen que Hendrick Hudson y su tripulación andan jugando a los bolos. Y en toda la comarca no hay marido calzonazos que, con el peso de la vida a cuestas, no comparta también él las ganas de darle un tiento tranquilizador a la jarra de Rip Van Winkle.

Nota

Uno se siente tentado a pensar que este cuento se lo sugirió al señor Knickerbocker una breve leyenda alemana sobre el emperador Federico Barbarroja y el monte Kypphaüser.[19] No obstante, la siguiente nota, que él añadió al relato, demuestra que se trata de un hecho auténtico, narrado con su fidelidad habitual: «Aunque a muchos la historia de Rip Van Winkle les pueda parecer increíble, yo creo firmemente en ella porque sé bien que los contornos de nuestras antiguas colonias holandesas han estado muy expuestos a apariciones y sucesos extraordinarios. Desde luego, en los pueblos que bordean el río Hudson he oído relatos más extraños que éste, demasiado bien comprobados todos ellos como para admitir dudas. Hasta yo mismo llegué a hablar con Rip Van Winkle: la última vez que lo vi era un anciano muy venerable y hasta tal punto coherente y lógico en todo lo demás que no creo que nadie sensato rehúse admitir también este relato. Es más: yo he visto certificado el asunto ante un juez local, y firmado con una cruz, de puño y letra del propio juez. Así pues, la historia está más allá de cualquier posible duda. — D. K.»

Post Scriptum[34]

Los siguientes son unos apuntes de viaje tomados del libro de notas del señor Knickerbocker:
«Los montes Kaatsberg, o Catskill, son una región en la que siempre han abundado las consejas.[35] Los indios los considera-

---

34 *post scriptum*: posdata.
35 *conseja*: fábula, leyenda.

19 En la primera edición Irving mencionaba aquí a Carlos V. Federico Barbarroja (Federico I) fue rey de Alemania y emperador del Sacro Imperio entre 1152 y 1190. Con esta alusión Irving le hace un guiño al lector sobre el origen del cuento, que se sitúa en la tradición folclórica alemana, como se comenta con más detenimiento en la «Introducción» (pp. XVI-XVIII).

ron morada de los espíritus, que desde allí influían en el tiempo, derramaban sol o nubes sobre el paisaje y enviaban buenas o malas épocas de caza. Gobernaba en ellas el espíritu de una anciana india, a la que consideraban su madre. Moraba en el pico más alto de los Catskill y tenía a su cargo las puertas del día y de la noche, que abría y cerraba a su hora. Colgaba en el cielo la luna nueva y reducía a estrellas las lunas viejas. Si en tiempos de sequía se atraía adecuadamente su benevolencia, hilaba ella con telarañas y rocío de la mañana leves nubes de verano y desde la cresta de la montaña las dejaba flotar en el aire, copo a copo, como si cardara algodón; hasta que, disueltas por el calor del sol, caían en forma de suave lluvia y hacían que brotara la hierba, que maduraran las frutas y que creciera el maíz una pulgada[36] a la hora. Pero si se la disgustaba, urdía nubes negras como la pez[37] y se sentaba en medio de ellas como una araña panzuda en el centro de su telaraña. Y cuando las nubes se abrían, ¡ay entonces de los valles!

»Cuentan las tradiciones indias que en tiempos antiguos había allí una especie de espíritu o manitú que rondaba por los parajes más agrestes de los montes Catskill y que malévolamente se divertía descargando todo tipo de males y vejaciones[38] sobre los pieles rojas. Adoptaba a veces la forma de oso, de pantera o de ciervo, perseguía por el bosque enmarañado y entre informes peñascos al aturdido cazador hasta agotarlo y acababa por desaparecer entre risotadas, dejándolo despavorido al borde mismo de un escarpado despeñadero o de un arroyo embravecido.

»Todavía hoy se puede ver la morada preferida de este manitú. Es una gran roca o acantilado en la parte más solitaria de esas montañas y, por las enredaderas en flor que por él trepan y por las flores silvestres que abundan en las inmediaciones, se la

---

36 *pulgada*: medida de longitud equivalente a algo más de 23 mm.
37 *pez*: sustancia negruzca y viscosa empleada para impermeabilizar superficies.
38 *vejación*: maltrato humillante.

conoce con el nombre de la Roca del Jardín. Muy cerca, a sus pies, hay un pequeño lago, refugio del avetoro[39] solitario, con culebras de agua que se solazan al sol en las hojas de los nenúfares que cubren su superficie. A los indios el paraje les inspiraba un gran temor, hasta el punto de que el más osado cazador dejaba allí de perseguir su presa. Ocurrió hace tiempo, sin embargo, que un cazador desviado de su camino penetró en el lugar, vio que en las horquetas[40] de los árboles había varias calabazas, echó mano de una de ellas y con ella escapó. Pero con las prisas de la huida la dejó caer y de entre las piedras brotó con fuerza un torrente que se lo llevó por delante y lo fue arrastrando de un precipicio a otro hasta acabar haciéndolo pedazos. El torrente se abrió camino hasta el Hudson y ha seguido fluyendo hasta el día de hoy: no es otro que el conocido con el nombre de Kaaters-kill.—D.K.»

---

39 *avetoro*: especie de garza que, en la época del celo, produce un sonido semejante al toro.
40 *horqueta*: arranque de una rama medianamente gruesa en un árbol.

Actividades

LA LEYENDA DE SLEEPY HOLLOW

1 | ESTRUCTURA, ARGUMENTO Y CONTENIDO

1.1 El valle encantado de Sleepy Hollow

En la primera parte del cuento se describe la **comarca de Sleepy Hollow**, un territorio a medio camino entre la realidad y la fantasía.

a ¿Qué característica principal tiene el lugar, a qué la atribuye el narrador y cómo afecta a sus habitantes? (pp. 4-6)

De las muchas consejas que circulan por la región, la leyenda del **Jinete sin Cabeza** es la más espantosa.

b ¿De dónde procede ese jinete fantasma? ¿Por qué ronda los parajes del valle durante la noche y regresa al cementerio antes del amanecer? (pp. 6-7)

1.2 Un héroe caricaturesco

Tras la descripción del lugar de la acción, el narrador presenta a su **protagonista**, uno de los personajes más caricaturescos y divertidos de la historia de la literatura.

a ¿Cómo describe el narrador a Ichabod Crane? (p. 8) ¿De qué modo parece concebir el maestro la educación? (p. 9) Señala algunos rasgos caricaturescos e irónicos de ese pasaje descriptivo.

Terminada la jornada escolar, el inflexible pedagogo parece cambiar de personalidad.

b ¿Cómo se las compone Crane para subsistir? ¿Qué actitud muestra hacia sus alumnos fuera del aula? ¿Cómo se comporta con los niños en sus casas y con las mujeres en sociedad? (pp. 10-11)

Ichabod Crane es un hombre **supersticioso y crédulo**, pese a la racionalidad que cabe esperar de un hombre de estudios.

c ¿Cuál es su principal afición y cómo le afecta? (pp. 14-16)

1.3 El conflicto amoroso

En la pacífica vida del maestro todo habría discurrido sin sobresaltos de no ser porque en su camino se cruza **Katrina Van Tassel**, única heredera de un rico granjero.

a ¿Qué rasgo de la personalidad de la joven se destaca en el relato? (pp. 16 y 22) En Katrina se refleja la actitud del narrador hacia las mujeres: ¿cómo calificarías esa actitud? (pp. 16 y 26-28)

b Katrina es una bella muchacha, pero ¿qué es lo que en verdad parece robarle el corazón al desgarbado maestro? (pp. 20-22) ¿En qué apreciamos la desbordante imaginación de Ichabod?

El advenedizo maestro, no obstante, habrá de hacer frente a un formidable adversario local que también corteja a la joven: **Brom Bones**.

c ¿Cuáles son los rasgos físicos más destacados de Bones? ¿Qué se nos dice de su personalidad? (pp. 23-24) Compara la descripción de este personaje con la ya comentada de Ichabod.

El conflicto entre Ichabod Crane y Brom Bones se plantea como una lucha entre **caballeros andantes**.

d Sin embargo, ¿qué 'ideales' mueven a cada uno de ellos? ¿De qué armas se valen uno y otro? (pp. 28-29)

1.4 Fiesta en el hogar de los Van Tassel

La familia Van Tassel invita a Ichabod a una fiesta junto a la flor y nata de Sleepy Hollow, y el maestro, exultante de alegría, se dispone a aprovechar la ocasión para **consolidar su relación con Katrina**.

a ¿Cómo es el caballo que le sirve de montura? ¿Qué parecido guarda con el Rocinante de don Quijote, con quien se compara implícitamente al «caballero andante» Ichabod? (pp. 30-31) ¿Con qué frase resume el narrador la apariencia de caballo y jinete?

El narrador se deleita en describir la **belleza del paisaje** que el maestro contempla de camino hacia la granja de Katrina (pp. 31 y 34); pero en el segundo párrafo de la p. 34 adopta la perspectiva de Crane.

b ¿Qué significativa diferencia adviertes entre ambas perspectivas?

Al llegar a la granja, Ichabod se encuentra con una **escena festiva** amenizada por un ramillete de hermosas muchachas.

c Sin embargo, ¿qué es lo que más le atrae al maestro de la fiesta? ¿Cuál es en verdad su secreta ambición? (pp. 36-37)

Terminado el baile, Ichabod se siente atraído por un corro de hombres que conversan sobre sucesos acontecidos en la comarca.

f ¿Qué historias se relatan y qué efecto ejercen sobre el pedagogo? (pp. 40-42) ¿Quiénes hablan sobre el Jinete sin Cabeza y qué cuentan de él?

1.5 El encuentro con el Jinete sin Cabeza

Este es el único pasaje verdaderamente **narrativo** del cuento, y relata una acción vertiginosa que contrasta con el carácter pausado del resto del texto. En este **fragmento climático** Ichabod se enfrenta con sus propios miedos, tras sufrir un terrible desengaño.

a ¿Con qué ánimo emprende Ichabod el regreso a casa? ¿Qué aspecto presenta ahora el paisaje que había recorrido por la tarde? (pp. 46-47) ¿Qué efecto ejerce la noche en su imaginación?

Al llegar al puente, Ichabod descubre la presencia de algo enorme y siniestro en la oscuridad.

b ¿Cómo reacciona el maestro? ¿Cuándo cree descubrir Ichabod la verdadera naturaleza de su acompañante? ¿Cómo termina la carrera que emprende y en qué coincide con la experiencia que Bones, según su propio relato (p. 42), había vivido?

1.6 El desenlace

La **desaparición del maestro** causa gran expectación entre los habitantes de Sleepy Hollow.

a ¿Qué explicación encuentran los vecinos para esa desaparición? ¿Qué distinta versión sobre la suerte de Ichabod ofrece un viejo granjero? (pp. 54-56)

En cualquier caso, el desgarbado pedagogo **no sale muy bien parado** en esta historia.

b ¿Qué hace Hans Van Ripper con los libros del maestro? ¿Qué piensa este granjero sobre la educación? (p. 54)

c ¿Quién consigue al final la mano de Katrina? ¿A qué atribuyes la mirada de complicidad y las risotadas de Brom cuando en el pueblo cuentan la historia de Crane y mencionan la calabaza? (p. 56)

1.7 Epílogo

En el epílogo se explica la procedencia del relato y se nos remite a la escena que tiene lugar en el ayuntamiento de Manhattan, donde un anciano acaba de narrar la historia de Ichabod Crane, para gran regocijo de la audiencia. Sin embargo, el relato le suscita **algunas dudas** a cierto anciano «cejijunto» de la concurrencia.

a ¿Cómo describe Knickerbocker a ese anciano? (p. 58) ¿Qué dudas le asaltan al perplejo señor?

El narrador de la historia, un anciano «educado, agradable» y, sin duda, guasón, mira con «infinita deferencia» a quien le ha formulado la pregunta y le contesta con un silogismo.

b ¿Tiene el silogismo la lógica que afirma el narrador? Con ese silogismo, ¿qué pretende demostrarle al escéptico anciano? ¿Cómo interpretas las palabras del narrador con las que concluye el texto?

2 PERSONAJES

2.1 Ichabod Crane, un divertido y patético seductor

El maestro de Sleepy Hollow es el protagonista del relato y la figura que acapara la atención del lector. Se trata de un personaje complejo que aúna virtudes y defectos, por lo que resulta muy humano y cómico a la vez. El rasgo que mejor lo caracteriza es su **imaginación febril**, que lo lleva, como hemos visto (1.2.c y 1.3.b), a distorsionar la realidad.

a ¿Qué consecuencias le acarrea al maestro su desbordante imaginación? ¿En qué se asemejan Ichabod a Alonso Quijano y «La leyenda de Sleepy Hollow» al *Quijote*?

Paradójicamente, el fantasioso pedagogo demuestra ser también un **hombre realista** que no desdeña en absoluto los estímulos materiales.

b ¿Qué aspectos de su comportamiento y de su destino final nos lo dan a entender así? (pp. 10, 36-37 y 56) Así pues, ¿por qué podemos decir que el personaje es también algo sanchopancesco?

Ichabod Crane nos hace reír a raudales, pero su extrema probreza lo convierte asimismo en un personaje **patético**.

c ¿En qué consisten todas sus posesiones? (pp. 30 y 54) ¿Qué se ve obligado a hacer el maestro para sobrevivir? (pp. 10-11) ¿Qué opinas del trato que recibe de Brom Bones y de Katrina?

2.2 Brom Bones y Katrina Van Tassel: el rival y la coqueta

La caracterización de Brom y Katrina es **bastante simple**, pero ambos personajes desempeñan un papel fundamental en el conflicto. **Brom Bones** no es sólo el antagonista de Ichabod, sino una figura en todo **antitética** al maestro, como hemos visto ya en 1.3.c.

a ¿Cómo contrastan sus respectivas monturas? (pp. 30-31 y 36) En el conflicto amoroso que enfrenta a ambos personajes, ¿de qué modo reacciona Brom ante la superioridad intelectual y la 'mundología' de su rival? (pp. 28 y 38) ¿De qué estrategia se vale al final para vencer al maestro?

La hermosa **Katrina** es un personaje muy plano del que el narrador destaca su **belleza** y su **coquetería**.

b ¿En qué ocasiones advertimos la coquetería de la joven? ¿Cómo influye dicho comportamiento en el desarrollo de la acción?

---

3 TEMAS

3.1 El conflicto entre el mundo rural y el mundo urbano

En el cuento se plantean dos conflictos paralelos: en un sentido literal, el duelo entre Ichabod y Brom Bones por los amores de Katrina; en un sentido metafórico, el conflicto entre el mundo rural que representa Bones y el mundo urbano que encarna el maestro.

a ¿Qué dice de Sleepy Hollow el propio narrador y cómo valora ese «recóndito valle holandés»? (pp. 4, 7 y 40)

Los habitantes de Sleepy Hollow se caracterizan por su **carácter sedentario** y por su integración plena, como campesinos que son, en el entorno natural.

b ¿Es el maestro sedentario también? (pp. 10, 14 y 21) ¿Qué 'exporta' el estado de donde procede Ichabod? (p. 8) ¿Qué tiende a ver Crane en la naturaleza y el paisaje? (p. 34).

3.2 El papel de la cultura en la sociedad

Un tema relevante del cuento es el papel que la cultura y la educación desempeñan en la sociedad de Sleepy Hollow (y, por extensión, en la sociedad humana). El maestro vive en unas condiciones paupérrimas y ha de adoptar una actitud servil hacia sus anfitriones.

a ¿En qué estado se encuentra la escuela? (pp. 8 y 56) ¿Qué opina de la educación el granjero Van Ripper? (p. 54)

b En contraste con «todos aquellos que nada sabían de esfuerzos intelectuales», ¿qué actitud muestran las mujeres del valle hacia el maestro? (p. 11)

3.3 Nacimiento de una tradición literaria

En este relato hay implícita una reflexión sobre la propia **literatura**, dado que en él se alude, de forma directa o indirecta, a algunos géneros literarios.

a ¿Qué opinión debían de merecerle a Irving los relatos de apariciones fantasmales o las novelas de caballerías? En este sentido, ¿por qué el escritor nos remite sutilmente al *Quijote*?

No cabe duda de que Irving debió de sentir una profunda admiración por la inmortal obra de Cervantes, pues el **conflicto entre fantasía y realidad** está muy presente en este cuento.

b ¿Hasta qué punto representa Ichabod la fantasía y el romanticismo, y Brom la realidad y el pragmatismo? ¿Qué posición crees que adopta Irving ante esta dualidad? (Véanse las pp. XXIV-XXV)

4 PERSPECTIVA NARRATIVA Y ESTILO

4.1 El narrador

Ya sabemos que **el narrador** del relato no es Irving, ni siquiera Diedrich Knickerbocker, sino un anciano «agradable y vestido con raídas ropas», a quien Knickerbocker ha oído narrar la historia en el ayuntamiento de Manhattan.

a En su relato, ¿qué señales adviertes de la **implicación del narrador**? (pp. 4, 26, 36) De ese modo, ¿te parece su historia más creíble, o quizá más subjetiva y menos verosímil?

En todo caso, el narrador pone énfasis en que su relato es «**verídico**» (p. 4) y procura dejar patente su **objetividad** al dar noticia sólo de lo que está bien informado (p. 43) o al ofrecer distintas perspectivas de un mismo hecho (p. 56).

b Comenta en qué consiste la objetividad del narrador en el pasaje citado de la p. 43. Sin embargo, ¿cómo ha podido saber lo que le ocurrió a Ichabod tras despedirse de Katrina? ¿Cuestiona eso su pretendida objetividad? ¿Qué luz arrojan estas reflexiones sobre las palabras del narrador al perplejo anciano del epílogo?

4.2 El estilo

Los dos relatos reunidos en este libro constituyen una espléndida muestra del **refinamiento literario** de Irving. El divertido argumento de «Sleepy Hollow» casi palidece ante la matizada e incisiva prosa con que nos deleita su autor.

a ¿Qué predomina en el cuento: la descripción, la narración o el diálogo?

Del arte literario de Irving cabe destacar sus **animadas descripciones**. Algunas de ellas contrastan levemente entre sí porque ponen en juego distintos recursos estilísticos.

b Analiza la descripción que el autor hace de Ichabod Crane en las pp. 8 y 31. Señala en ella el uso de la enumeración, la hipérbole, la animalización, la cosificación, la comparación…

c Estudia también la descripción de los «tesoros de la granja» de los Van Tassel (pp. 18 y 20): comprueba la estructuración de los párrafos en enumeraciones y el uso de la comparación, la metáfora, la personificación, los verbos, la adjetivación... ¿Qué descripción es más lírica, esta última o la de Ichabod Crane?

Capítulo aparte merecen el **humor** y la **fina ironía** de Irving, que recorren el relato desde su inicio (la propia denominación de Tarrytown) al epílogo (los jocosos comentarios de Knickerboker y del narrador).

d Selecciona alguno de los numerosos pasajes cómicos o irónicos del cuento (las descripciones de Ichabod Crane, la pedagogía que pone en práctica el maestro, sus fantasías, la aparición del emisario negro en la escuela y el revuelo posterior, las represalias de Brom Bones...) y explica en qué consiste su comicidad o su ironía.

5 LA VERSIÓN CINEMATOGRÁFICA DE TIM BURTON

En 1999, el director norteamericano Tim Burton estrenó *Sleepy Hollow*, una espléndida versión cinematográfica del relato de Irving. Esta película constituye un excelente ejemplo de reescritura de una leyenda cuyo origen último se encuentra en la tradición folclórica europea. Habrás comprobado que la película **conserva algunos elementos del cuento** de Irving y **altera otros**.

a ¿Qué similitudes y qué notables diferencias aprecias entre el relato y la película? Empieza por señalar las que encuentres en el Jinete sin Cabeza y en la caracterización y personalidad de Ichabod, Katrina y Brom Bones. ¿Qué destino final aguarda a este último personaje? ¿Y a Katrina e Ichabod? ¿Qué papel le reserva Burton a Lady Van Tassel, la madrastra de Katrina?

Tim Burton se ha inspirado en el cuento para realizar su película, que no es, en rigor, una versión fiel del relato de Irving sino una **adaptación libre**.

b ¿Te parece legítima la forma de proceder del director? ¿Por qué? ¿Te ha gustado más el relato o la película? ¿O, simplemente, no son comparables? ¿Por qué?

RIP VAN WINKLE

1 ESTRUCTURA, ARGUMENTO Y CONTENIDO

1.1 Proemio

Esta sección introductoria, que, en rigor, no forma parte del cuento, nos informa sobre su origen (pp. 63 y 64).

a ¿A quién se le atribuye la autoría del relato y cuál es, en opinión de Geoffrey Crayon, el prologuista, el mayor mérito de quien lo ha escrito? ¿De dónde procede el material con el que el autor elabora su historia? ¿Qué opinión le merecen las leyendas a Crayon? ¿Cuál parece ser, en suma, la finalidad de este proemio?

1.2 Rip y la aldea holandesa de los montes Catskill

La primera parte del cuento es un delicioso pasaje costumbrista que traza un esbozo de la **sociedad colonial holandesa**. El pueblo donde transcurre la acción está enclavado entre «**montañas mágicas**».

a ¿Por qué crees que Irving comienza su relato con un breve apunte descriptivo de los montes Catskill y de la aldea a sus pies?

El autor pasa de inmediato a describir con gracia e ironía insuperables a Rip Van Winkle y a su familia. **Rip** es un hombre «sencillo y bondadoso» que vive «bajo la férula» de su esposa.

b ¿De quién es descendiente Rip? ¿Cuáles son sus mejores virtudes? ¿Y su peor defecto? ¿A qué dedica sus muchas horas de ocio? ¿En qué se le asemejan su hijo y su perro? (pp. 67-72)

El humor y la ironía de Irving se ceban en la **señora Van Winkle**, un personaje que no parece gozar de las simpatías del narrador.

c ¿Cómo describe a la esposa de Rip? (pp. 67-75) ¿Cuál es la peor tacha de su carácter y cómo la censura el narrador? (p. 74)

Para eludir a su esposa, Rip se refugia en un «club de sabios, filósofos y demás personajes ociosos del lugar», entre los que destaca el dueño de la posada. El breve esbozo de los **miembros de ese club** y de las reuniones que celebran no tiene desperdicio (pp. 74-75)

d ¿A qué se dedican durante sus «asambleas»? ¿Qué misión desempeña en ellas el maestro? ¿Qué destacarías del inestimable retrato que el autor realiza de Nicholas Vedder?

1.3 Encuentro con un extraño grupo

Pero ni siquiera en esa consoladora compañía se libra Rip de la persecución de su esposa, por lo que no le queda más remedio que coger la escopeta y el perro y **perderse en el monte.**

a ¿A quién encuentra Rip en esas soledades un buen día de otoño y adónde le conduce? ¿Cómo es el grupo de personas que conoce entonces y qué hacen en aquel recóndito lugar? (pp. 77-82)

b Tras vencer el miedo, Rip se anima a beber del licor que él mismo había acarreado. ¿Qué efecto ejerce en él la bebida?

1.4 Rip se despierta de su largo sueño

Al día siguiente, Rip se despierta en un lugar distinto al que se quedó dormido: el montículo verde donde se encontró al anciano del valle.

a ¿Qué piensa Rip que ha ocurrido? ¿Cuál es la verdadera preocupación del protagonista? (p. 84)

Poco a poco Rip emprende el regreso a casa y lo que encuentra a su paso le causa **un asombro tras otro.**

b ¿Qué le sorprende de la gente? ¿Qué descubre Rip sobre su propio aspecto físico? ¿Cómo es el pueblo al que regresa Rip?

c Rip se dirige a la posada. ¿Qué cambios significativos han experimentado el lugar y sus gentes? (pp. 92-93)

Incapaz de reconocer a nadie y desconcertado por completo, Rip acaba **dudando de su propia identidad** (p. 97).

d ¿Por qué razón? ¿Qué información le proporciona una joven sobre lo ocurrido a Rip Van Winkle? (pp. 98-100) ¿Qué explicación ofrece el viejo Peter Vanderdonk tras la *anagnórisis* o reconocimiento que entonces se produce? (p. 100)

Reintegrado a la vida de la familia y del pueblo, Rip apenas modifica sus hábitos tras más de veinte años de ausencia (pp. 101-104).

e ¿Qué cambios se han producido en su país en ese lapso? ¿Afectan a Rip de algún modo? Sin embargo, ¿de qué yugo ha conseguido librarse? ¿Con qué frase significativa acaba el relato?

1.5 Textos epilogales

La «**Nota**» que añade Irving una vez concluido el relato plantea dudas sobre la fuente en que se ha basado Knickerbocker.

a ¿Qué pretende demostrar Knickerbocker con esta nota? ¿Qué relación tienen sus palabras con el proemio? ¿Y con los versos introductorios del cuento?

Para aclarar su posición, el historiador Knickerbocker añade un «**Post Scriptum**» en el que nos habla sobre los montes Catskill.

b ¿Cuál es la característica más destacada de esos montes? ¿Quién habita allí y a qué se dedica? ¿Qué le ocurrió a un cazador en cierto paraje de los Catskill? ¿Crees que ese suceso tiene alguna relación con la peripecia que vive Rip?

2 PERSONAJES

2.1 Rip Van Winkle y su esposa gruñona

Rip es el protagonista y el único personaje plenamente desarrollado del relato. Su personalidad singular ha sido ya analizada en 1.2.b. La consustancial **bondad** de Rip aparece empañada, sin embargo, por la infinita **pereza** que le embarga cuando ha de ocuparse de sus propios asuntos.

a ¿Cuál es en realidad su única preocupación? ¿Qué opinión tienen de él sus vecinos? ¿Qué piensas tú del personaje? ¿Despierta tus simpatías, como las del autor?

En la «Introducción» (pp. XXXI-XXXII) se explica lo que Rip representa para la **literatura norteamericana**.

b Resume la opinión expresada en dichas páginas.

La verdadera antagonista del relato es, como hemos visto, **la esposa de Rip**, mujer por la que el narrador siente una abierta antipatía.

c Enumera los calificativos con los que el narrador la describe. No obstante, ¿tiene la mujer de Rip algún motivo para abroncarlo de continuo? En tu opinión, ¿se trata de un personaje-tipo?

2.2 Los personajes corales

En el relato hay dos grupos corales de entre los que apenas si destacan dos personajes. El «**club de sabios**» que se reúne junto a la posada del pueblo ha sido ya analizado en 1.2.d y 1.4.c.

a ¿Por qué a Rip le resulta tan grato ese grupo de amigos? ¿Qué nuevas amistades hace a su regreso? (p. 101)

El encuentro de Rip en la montaña con los **desconocidos que juegan a los bolos** constituye el episodio central del relato.

b ¿Cómo descubrimos que esos desconocidos son en realidad los fantasmas de Hudson y su grupo? (pp. 100-101) ¿Qué significado simbólico puede tener el encuentro de Rip con esas gentes?

---

3 TEMAS

3.1 El individuo y la historia

Como se señala en la «Introducción» (p. XXXII), «Rip Van Winkle» puede interpretarse como una meditación sobre el **significado de la Independencia de los Estados Unidos**. El cambio que se produce en la aldea tras el regreso de Rip es, en este sentido, muy revelador.

a ¿Por qué han sustituido el «árbol frondoso»? ¿Cómo interpretas el cambio de la imagen de Jorge III por la de Jorge Washington? ¿Son en realidad muy diferentes? (p. 92) En lugar de a Van Bummel, el maestro, ¿a quién encuentra Rip? (p. 93) ¿Qué le pregunta el orador? ¿Qué hace el «hombre del sombrero de tres picos que se creía importante» cuando ve el arma de Rip? (p. 98)

b ¿En qué sentido podría ser este relato una sátira de la política o de la independencia norteamericana recientemente conquistada?

Las dos largas décadas que Rip pasa durmiendo nos hacen pensar que el personaje, sobre todo si tenemos en cuenta su personalidad, pretende **evadirse de sus circunstancias históricas**.

c ¿Puede el ser humano mantenerse ajeno al tiempo y a sus cambios? ¿Qué consecuencias puede acarrearle esa actitud? ¿Quizás merece la pena 'dormirse' ante determinados hechos históricos?

Desentenderse del mundo que le rodea a uno puede traer consigo la **pérdida de la identidad humana**, tal y como le sucede a Rip.

d ¿Qué crees que le hubiera ocurrido a Rip si su hija no lo hubiese reconocido? ¿Estás de acuerdo con la afirmación de que nuestra identidad individual depende de la percepción que la sociedad tiene de nosotros? Argumenta la respuesta.

3.2 Un héroe literario para una nación emergente

Una parte de la crítica ha querido ver en Rip al primer héroe literario de los Estados Unidos (véase la «Introducción», p. XXXI). Cuando el protagonista regresa de los montes Catskill, se convierte en una especie de cronista oficial del pueblo.

a ¿Crees que ese dato nos dice algo sobre la literatura y su función social? Y en tal caso, ¿qué tipo de literatura parece representar Rip Van Winkle?

4 PERSPECTIVA NARRATIVA Y ESTILO

Al igual que sucede en «Sleepy Hollow», en «Rip Van Winkle» se insiste sobre la **veracidad** de los hechos narrados, a pesar de que puedan resultar inverosímiles.

a ¿Por qué crees que en el relato se insiste tanto sobre su veracidad? ¿Puede el concepto de «verdad» ser distinto en la Historia y en la literatura? ¿Por qué? Si ese fuera el caso, ¿cuál es la «verdad» en «Rip Van Winkle»? Razona tu respuesta.

b En la descripción de sus personajes, Irving recurre con frecuencia al **humor** y la **ironía**. Señala estos rasgos en la descripción de Rip, de su esposa o del «club de sabios» (pp. 67-75).